破千號加持，
采花好書不可錯過──

梅貝兒 采花系列996《不要小看我》
還以為兩人是彼此相愛、「身心相許」，她卻不告而別，從此他對愛情失望，
多年後一個男孩找上他，他才知道，原來當年她竟是帶著他的兒子不告而別……

朱映徽 采花系列997《征夫》
這天，她撿回一個負傷卻來歷不明的男子，即便他渾身散發出危險氣息，
她卻真心認定他是個好人，為他怦然心動，就不知他肯不肯當她的夫……

狗屋嚴選 慕璇 采花系列998《情非得已嫁給你》
不過是偷閒飛去香港玩，怎知衰神就此找上她，東西被偷人也被綁走，
為了活命，她只得跟一個男人合作逃到荒島，唉，這部動作片何時落幕呢……

艾　珈 采花系列999《女兒醉》
寧獨齋最愛吃，但嘴也最刁，坊間飯館食齋，沒一處是他認可的。
但這女人竟有一身好廚藝，垂涎啊！為了好口福，說什麼也要將她綁在身邊……

唐浣紗 采花系列1000《寵妳，我的幸運寶貝》
于潔優從沒想過會再遇見那個男人，他是她的最愛，卻也是她心底最深的傷口！
她嚐盡閃電結婚的苦果，只有分離才能療傷止痛，但偏偏上天又讓他們重逢……

搶新郎

董妮◎著

采花系列 995

喜氣洋洋之一

這是一個溫柔的世界
狗屋裡的狗仔呼呼大睡
果樹的果子纍纍
一片草原上
小花交錯的依附著生長
我仰躺著觀望、深呼吸
藍天時而變化
白雲悄悄溜過
偶爾臉蓋上草帽
偶爾我坐起盤腿
摘下身旁的一朵小花
插在耳際
合著眼迎風。
這是我的假期
這是我的放學午后
這是我的朝九晚五之外
這是我的夜晚
這是我的綺夢。

搶新郎

采花系列 995

喜氣洋洋之一

董妮◎著

發行所……狗屋出版社有限公司
地址……台北市104中山區龍江路71巷15號1樓
電話……02 27765889～0
發行字號……局版台業字845號
法律顧問……蕭雄淋律師
總經銷……知遠文化事業有限公司
電話……02 26648800
東南亞總代理……皇冠出版社
地址……60加冷布丁路#06～00新加坡349320郵區
電話……02 7472996
初版……九十九年九月
國際書碼……ISBN-13 978～986～240～406～5

定價：新台幣190元
狗屋劃撥帳號：19001626
網址：love.doghouse.com.tw　E-mail：love@doghouse.com.tw
Printed in Taiwan

還記得初戀時那種酸酸甜甜的滋味嗎？

每天每天是為了誰茶不思飯不想，寢食難安？

每夜每夜又是為了哪一段逝去的戀情輾轉難眠？

拾起筆，打開電腦，寫下妳那刻骨銘心的愛情故事吧，

寫出妳的理想情人及愛情麻辣燙的百般滋味，

讓我們一起編織

動人心弦的愛情傳說～～

狗屋．果樹替妳  **的時候來囉！！**

狗屋．果樹擁有**業界最強的企劃團隊**，

及最細心體貼又溫柔的美女編輯群，

為擁有夢想與熱情的作者，

打造璀璨亮眼的未來！

很可能妳就會成為史上最強的

愛情超級名家哦！

歡迎各路人馬踴躍投稿！

無論妳是身經百戰的沙場老將，想要重起爐灶；

又或是陷入進退兩難的僵局，想另闢新戰場；

又或是純粹想尋找另一片全新的舞台，

盡情揮灑妳的夢想，

只要妳能寫出動人美麗的愛情故事，

狗屋/果樹的大門，永遠歡迎妳！！

投稿 圓夢 注意事項：

* 字數限制：9萬～11萬字〈算法為行數×字數×總頁數。以Word為範例，則每頁可設定32行*35字=1120字，字體級數設定12級，80頁～98頁皆達字數標準。〉
* 投稿格式：電腦列印或手寫稿均可。不接受磁片和 e-mail 投稿。
* 回覆時間：自本社收到稿件日起算約四週內。若為**言情界資深寫手**請先致電本社圓夢熱線02-27765889#222呂主編，本社可另以特殊專案處理。
* 請自留底稿。如不採用，恕不退件。需退稿者請自附回郵。
* 想知道更多投稿細節，請上狗屋網站首頁 love.doghouse.com.tw 或點選下列網址了解更多詳情：http://love.doghouse.com.tw/contact/feedback.asp#hi1。

采花系列 996

不要小看我

梅貝兒◎著

新書預告

童海霏秀秀氣氣、文文弱弱的，沒想到她氣死人的功夫會如此高段！
他還以為兩人一直是彼此相愛、心意相通，兩人甚至「身心相許」了，
沒想到她卻突然不告而別，音訊全無，教他從此對愛情失望。
八年後，他接到一通小男孩打來的莫名其妙電話，質問他跟童海霏的關係，
他才知道，原來當年她不只是不告而別，還是帶著他的兒子不告而別……
他的怒火急速飆升，決定要把當年拋下他、帶走兒子的帳全找她算個清楚！
她千算萬算就是沒算到，兒子竟然打電話找爸爸。
都怪她幹麼還留著一張跟李照祺的合照當作紀念，
要不然也該把照片後面的手機號碼給刪掉啊……
這下好了，秘密瞞不住，他還氣急敗壞找上門，
瞧他一臉氣恨、語帶嘲諷的模樣，
她知道跟他的戰爭從這一刻起開始了。
當年她是傷他甚深，而她又何嘗願意……

征夫

采花系列 997

朱映徽◎著

新書預告

說起東北一帶的「丁家馬場」，那是無人不知曉的，
但出人意料的是，馬場的主子竟是個芳齡十八的姑娘！
由於娘親生下她丁茉茉後，就因意外而沒法兒再生育，
偏偏爹爹又不願納妾，因此她從小就被嚴格教導著，
她既要學琴棋詩畫，男子該習的射御書數也不能不會，
幸好姑娘她這人天資聰穎，什麼大小事都難不倒她啦！
身為馬場主子，她在馬背上英姿颯爽，如驕陽般耀眼，
但也因太過耀眼，男子們沒誰敢追她，就怕被比下去，
當然，她覺得他們更怕的應該是被她狠狠地拒絕吧？
總之呢，她雖有著過人的美貌，卻因太優秀而嫁不掉，
儘管媒婆都為她著急得直跳腳，可她自個兒倒不急。
這天，她撿回一個負傷卻絕口不提身分、來歷的男子，
即便他渾身散發出危險的氣息，她卻認定他是個好人，
而且，她為他怦然心動了，就不知他肯不肯當她的夫？

dog house
總經銷◎知遠文化事業有限公司
網址◎love.doghouse.com.tw

新書預告

采花系列 998

情非得已嫁給你

狗屋嚴選 慕璇◎著

顧以薰簡直要瘋了！現在是怎樣？莫非天要亡她不成？
她不過是頂替臨時有事的妹妹，偷閒飛去香港逛逛罷了，
老天爺就不能睜隻眼閉隻眼，有必要這樣玩她嗎？
先是筆電被偷，害她損失慘重，差點沒氣得吐血，
沒想到緊接著連存有她心血結晶的隨身碟也搞丟了！
幸好她及時想起，可能是跟那個殷聿修起衝突時弄掉的，
於是，她二話不說地奔去堵那個總經理，希望他有撿到，
在她一把鼻涕、一把眼淚後，他終於大發慈悲地還她，
還以為總算要開始走好運了，怎知其實衰神已找上門，
她正要離開他時，幾名看來不好惹的男子竟持槍抵著他！
結果她這個倒楣的目擊者也一併被對方敲昏，打包帶走，
當她再度醒來時，人居然已經在船上，且隨時會被滅口！
為了活命，她和他乘坐小艇逃跑，兩人意外來到無人島，
媽呀，孤男寡女待在這座荒島上，誰曉得會不會出事啊？

女兒醉

采花系列 999

天賜良緣之四

艾珈◎著

寧獨齋最愛吃、愛喝，但嘴也最刁，坊間飯館食齋，沒一處是他認可的。
為了不餓死，不得不，他只好學習下廚烹膳，養自己那張刁嘴。
但這一回，師父八十大壽，指名要他下廚烹膳弄桌好料來嚐嚐，
他只好下山備齊材料，可就在買辦途中，他赫然發現——
這酒莊女兒時恬兒，竟有一身釀酒好手藝，垂涎啊！
為了他將來的幸福，真的，說什麼也要將她綁在身邊……
長得虎目濃眉，渾身野氣又桀驁不馴的寧獨齋，
簡直就是她想像中的酒神化身。
偏偏他講出的話，擺明是瞧不起她有本事當家，
他甚至建議她招個夫婿進門，幫她打理時家的一切，
但他們時家就算沒個男人在了，她也要扛起這擔子；
何況，有哪個男人能忍受妻子整日待在酒窖裡幹活？
而且他來了以後，她的眼、心只根本只繞著他轉……

新書預告

doghouse 總經銷◎知遠文化事業有限公司 網址◎love.doghouse.com.tw

采花系列

1000

愛很大4

每當遇到有人質疑出色的他為何單身，池聖麒只能苦笑，不知如何回答，

因為，他其實不是真正的黃金單身漢——

結了婚，但已離婚；不再談情說愛，只因為前妻的身影還佔據他的心……

他深愛著于潔優，纖細荏弱，卻是外柔內剛，令他又愛又氣又心痛，

他們曾是最幸福的夫妻，如今是最熟悉的陌生人！

他知道，她恨他；但讓心愛的女人離開，是他犯下最大的錯誤，

若再有那麼一次機會，他絕不會放手，因為他愛慘了她……

于潔優恨極了池聖麒，他，是她無緣的前夫！

三年前他們因工作而相識、相戀，衝動地在賭城閃電結婚。

但……真愛的考驗隨之而來，相愛容易相處難，

一連串風波導致難以磨滅的傷痕，她甚至因此失去了孩子！

她決定離婚，從此永不相見，偏上天又開了他們一個玩笑，

他們這對離婚夫妻竟擔任同一場婚禮的伴郎、伴娘?!

喔～～天底下還有比這更荒謬的事嗎？

唐浣紗◎著

ROMANCE AGE 147

將計就計

作者◎**瑪麗·貝洛 Mary Balogh**
譯者◎**元綺芮**

Slightly Sinful

戰火蔓延之際，貝艾利爵爺從馬上墜落，只能無奈地等待死亡——醒來時，卻置身妓院的房間。這個黝黑英俊的外交官失去記憶，忘了自己是誰、如何來到此地——但他可以肯定一件事：他發誓要讓這個照料他恢復健康的天使成為他的女人。尤瑞秋身陷絕望處境，必須設法找回被偷的財產。她從鬼門關前救回來的瀟灑軍官，或許是她的救星。只是她必須假扮成他的妻子——這場騙局將使他們捲入邪惡的醜聞，一男一女不符禮教的求愛戲碼，大膽冒險……每個禁忌之吻都可能讓熱情的陌生人成為真實的情人……

《紐約時報》暢銷作家
榮獲邦恩諾伯書店讀者五顆星最高評價
嗆辣攝政羅曼史的女王《書目雜誌》

ROMANCE AGE 148

今夜俘虜我

作者◎**羅珊妮·聖克萊爾 Roxanne St. Claire**
譯者◎**安矜群**

Take Me Tonight

魏颯琪發現情同姊妹的室友自殺身亡，與一個緊張刺激的娛樂網站有關，於是報名參加該網站的「綁架」服務以尋求解答，未料她的「拯救者」完全不是她想的那回事。柯強尼對「子彈捕手」忠心耿耿，因為這家公司將他從自命不凡的罪犯變成優秀專業的私人保鑣。他受命前去阻止颯琪所預約的綁架行動，完全沒想到自己會陷入欺騙與激情的泥淖中。他與颯琪越接近真相，危險也越形逼近，直到死亡只在彈指之間……

二〇一〇蓋里威爾森最佳懸疑羅曼史獎
美國羅曼史作家協會RITA獎得主
《紐約時報》暢銷榜名作家

果樹出版社　台北市104龍江路71巷15號　郵撥帳號：19341370
99年9月出版　電話：(02)2776-5889　傳真：(02)2771-2568　網址：love.doghouse.com.tw

為流浪貓狗加油 **狗屋**·果樹誠心企劃

和貓寶貝　狗寶貝

廝守終生(一定要終生喔！)的幸福機會

對人來說，貓寶貝狗寶貝只是生活的一部分，但妳(你)對牠們來說，卻是生活的全部，領養前請一定要考慮清楚——

等愛的王子

性　　別：男生
年　　齡：約八到十歲
健康狀況：已結紮、完成體內外驅蟲、八合一預防針、心絲蟲四合一檢驗，有乾眼症需點眼藥水。
個　　性：親人，喜歡抱抱。

本期資料來源：流浪動物花園
http://www.doghome.org.tw/phpbb2/viewtopic.php?p=807015

第149期推薦寵物情人

『王子』的故事：

體型小、年紀老，一隻不及兩公斤的約克夏，怎能夠在路邊討生活、閃躲來來往往的車輛？或許去收容所，反而是個喘息之地，但即便如此，牠仍命在旦夕，可能會在那裡感染傳染病，甚至是被安樂死。

終於，牠在今年五月碰到了來自流浪動物花園協會的救星Steel，他一把抱起了牠，帶牠離開基隆收容所。

約克夏是嬌滴滴的貴族犬，整理過後的王子依舊十分有型，可以想見牠年少貌美時如何受寵，只可惜不知發生什麼意外，讓牠幾乎與死神擦身而過，現在的牠在協會受到良好的照顧，年紀雖大，卻相當健朗，沒有什麼毛病，希望我們能為牠找到一個晚年安身立命的歸宿。

流浪動物花園協會疼惜老弱傷殘，每年救援無數老狗，也一一替牠們找到歸宿，相信大難不死的王子也有這樣的好運，你願意接納可愛、得人疼的王子成為你的家人，與你共享生命的喜怒哀樂嗎？

認養資格：

希望領養人能真心疼愛牠，請詳細閱讀下列認養條件，經過周詳考慮後再做決定，不要因一時衝動而來電。

1. 愛牠一輩子。
2. 需得到全家人的同意，也要確定家中無過敏體質者。
3. 需當牠為家人，並照顧牠一生，不離不棄。
4. 每年施打預防針，每月服用心絲蟲預防藥及滴除蚤藥物。
5. 若有走失或送養、死亡、不能養等情況一定要告知送養人，勿擅自決定。
6. 認養時同意簽署照顧切結書，並希望能撥冗聯絡、或同意探視，讓我們知道狗狗狀況，才能安心地去救助其他受難狗狗。
7. 若認同義工照顧流浪狗的理念，請補貼部分醫藥費兩千元含醫療檢驗、結紮、晶片、狂犬病及八合一預防針、藥水澡、驅除體內外寄生蟲等費用，絕對超值，幫助流浪動物花園協會繼續濟助眾多落難動物。此款項將指定捐「中華民國流浪動物花園協會」，可開立正式捐款收據，用於照顧其他救援待送養的犬貓，退養恕無法退費。
8. 最好能將狗狗的生活記事與照片貼在http://www.doghome.org.tw/phpbb2/viewforum.php?f=19&code=halfway「找到幸福」專欄，不但讓我們安心，也能激勵更多人以認養代替購買。

聯絡方式：

欲認養王子的人，請來電02-2662-0375、0952-332240 ROSE詢問，或至http://www.doghome.org.tw/phpbb2/privmsg.php?mode=post&u=6 留言，我們看到後會盡快回覆您。

注意事項：

想要認養王子的人，請先詳細回覆以下相關問題，符合資格者，我們將盡快與您聯絡。

1. 您的基本資料。
2. 您目前的職業及經濟來源。
3. 您是否與家人同住？有無室友？他們是否知情並同意養狗？
4. 您有無養寵物的經驗？目前有養什麼寵物呢？
5. 您想要認養王子的原因是什麼？

第一章

那個嬌小的女子身穿白色衣褲，外罩雪白狐裘，頭戴一頂白色的皮帽，連身的白立在靄靄雪地中，分不清人是雪、或者雪是人。

她肩上站了一隻白狐，身後一名高大的婢女也跟她一樣，滿身的白。

「阿敏，妳確定這幾天真看見了採蔘人？」

婢女點頭。

這裡是百花谷，卻是什麼花都種不活的谷地。

偌大的山谷裡什麼也沒有，除了那聽說已經成精，吃一棵可以直升仙界的百草蔘。

但沙貝兒認為吃百草蔘成仙的原因是——蔘草有毒，吃了就是直接去見牛頭馬面了。

不過百草蔘名頭甚盛，不是尋常人找得到，能來採蔘者必不簡單，而她要把這個採蔘者搶回家做她的專屬大夫。

沙貝兒說來也可憐，沒出生就被定了一門親，倘若男方四肢健全、腦袋正常也就算了，偏偏是個傻子。

她沒瘋，也不是善心活菩薩，一樁沒好處的婚姻，休想她拜堂。

只是她未婚夫的爹娘都是為了護衛雪堡才死的，臨死將兒子託孤給她爹娘，請求照顧。

她爹娘古板守舊、重情重義，說什麼都要遵守承諾，逼她嫁人，還千方百計尋遍世間靈藥，說也許能治好她的傻子未婚夫，到時就兩全其美了。

美個頭啦！癡傻又不是病，還能治好不成？

於是她哭求雪堡中的岑大夫幫忙。岑爺爺最疼她了，兩滴眼淚流下來，恨不能把心肝挖出來哄她，自然對她唯命是從。

岑爺爺配了一副會讓人虛弱、卻不會傷害身體的藥，讓她長年服用。

她吃了，便有氣無力、面黃肌瘦，成天躺在床上享受——不用做事、不必練武、不需讀書，每天只要接受別人的服侍，這不叫享受，叫什麼？

她爹看她體弱得像隨時會斷氣，也不好逼她成親。萬一死在喜轎裡，豈不晦氣？

於是，婚約一年一年地拖了下來，直到現在，她二十六歲，都成高齡姑娘了，還是自由自在，只要避著爹娘，想怎麼玩、就怎麼玩。

可惜人生不如意十常八九，岑爺爺年逾九十後，身子越來越差，近三個月，他甚至連床都起不了，遑論給她配藥。

沒有那些藥，她漸漸恢復，容顏如春花嬌麗，如玉肌膚比雪堡中的雪更加清盈潔白，只有身子還是像十六歲的小姑娘一樣稚嫩，但爹娘以為她的病已好大半，若能成親，喜上加喜，必能痊癒。

因此她每天擔心死了，如果岑爺爺還不起來，再不給她藥，她一輩子都完蛋了。

她也試過自己煉藥，但做出來的成品……唉，雞吃雞死、鳥食鳥亡。

她真的是沒辦法了，才會想要找個堡外人幫忙。

正好採蔘人出現了，能懂百草蔘藥性又有本事採它，找他來幫忙煉點藥應該不成問題吧？

「就算有問題，姑奶奶也叫他把岑爺爺那堆醫書都啃完，啃到沒問題為止。」她雙手插腰，那股潑辣勁兒比起朝天椒有過之而無不及。

「小姐、小姐，人好像來了。」阿敏在後頭提醒她。

沙貝兒趕緊招呼一人一狐往旁邊的雪窟裡一藏。

「小祖宗，待會兒人來了，就全看你了。」這白狐是隻異種，從小以藥物餵養，能放出奇詭香氣，無論人畜聞了都要昏迷三天。

這也是為什麼沙貝兒想捉人卻不帶護衛，只帶阿敏和白狐隨行。

沒多久，採蔘人出現了。他身形高大壯碩，就像……對了，山林裡的猛虎正值壯年，威風凜凜，便是他這個樣子。

他穿著一襲月白勁裝，眉比墨黑、鼻若刀削，一臉憨實的樣子，但他雙眼明亮，絕對不是那種處處被人騙的笨蛋，而是心地純良的忠厚。

他揹著一只藥簍，手持的藥鋤黑黝黝的，竟然映不出一點光澤，沙貝兒看得有些膽寒。他那藥鋤絕非凡物，能用那種神器的人，恐怕也不會太好對付。

「小祖宗，你有沒有把握？」別把大家都賠了進去才好。

白狐似通人性，驕傲地一扭身，從沙貝兒肩頭躍下。

「什麼人?!」穆康回頭。

他遠遠看見白狐走過來，昂首闊步、神態囂張，彷彿牠才是這谷地的王。

「原來是隻白狐。」他略微放鬆警戒，但也覺得白狐出現得奇怪。這裡萬物凋零，怎會有白狐？

白狐走到他身邊，深邃的眼像夜空的星星，緊緊盯著他。

他的心又提了起來。這隻白狐似乎不太一樣……

突然，白狐睨了他一眼，轉過身子。

穆康發誓，白狐的眼神絕對是在取笑他。

這白狐有人性到把他當呆子了，該不會是狐仙吧？

白狐走了一步，豎起尾巴，他忽地聞到一股如蘭似麝的香氣。

「什麼味道？」驀地，他腦子發暈，手腳也微微虛軟。「有毒！」

這是什麼鬼白狐，居然會噴毒氣？他真是見鬼了！

「別走！」大凡帶毒的靈物身上必有解毒靈品，他中了毒，自然要捉白狐來解毒。

沒人想到他中了毒煙，身手還如此靈敏，那藥鋤一揮，比閃電更快。

「小祖宗，快跑！」這時，沙貝兒也顧不得隱藏行蹤了，跳出雪窟，摸出一團雪球便往穆康身上砸去。

白狐乘機落跑，又跳回沙貝兒的肩頭。

既然小姐露面了，阿敏也不再躲藏，拿著燒火棍護在小姐身前。

「原來諸位是有備而來。」穆康搖晃了下。他真是大意了，否則哪裡會中如此幼稚的把戲？「各位與穆康有何恩仇？為何對付我？」

「穆康？」阿敏拉拉沙貝兒的袖子。「小姐，這人很有名耶！」

「怎麼個有名？」沙貝兒祈禱，千萬不要是什麼殺人魔王、綠林頭子才好。

「他的外號叫一斛珠，是個很厲害、非常厲害、超級無敵厲害的大夫！」阿敏是個有點碎嘴的人。

沙貝兒一巴掌轟向她的後腦勺。「妳直接說他是大夫就好了，講那麼多幹什麼？不過……」才想綁架，就遇到一名大夫，運氣是不是太好了？

「穆先生……」沙貝兒儘量讓自己表現得溫良恭儉讓。

但穆康根本不吃她那套。剛剛才被暗算，立刻又相信對方，那不是大意，而是白癡了。

他直接擺下道來。「本人有三不醫，第一，不忠不孝者，不醫。第二，姦淫擄掠者，不醫。第三，心情不好時，不醫。」

「可我不想請你醫人啊！」

她話一出，穆康的臉色青紅紫白交錯，要說多精采就有多精采。

想他出師至今，還沒碰見聽到他名號，卻不請他出手救人的，這導致他誤會凡是來找他的人，都是來求醫的。

「我只想請你幫我配一帖藥。」沙貝兒說。

這時候，穆康的心情並不好，於是道：「穆某也不隨便替人配藥。」

沙貝兒一生受寵，什麼時候好聲好氣地與人說話卻遭拒絕?連她那個頑固老爹都是求她拜堂，而不敢逼她成親。

「管你答不答應，等我捉到你，三十六樣酷刑之下，你還能拒絕嗎？」

「就憑妳們幾個便想捉我？」那他穆康早就變成別人的禁臠，難見天日了。

「我們幾個是不怎麼樣，但是……嘿嘿嘿……」沙貝兒打個響指，阿敏便和她一起搓起雪球，砸向穆康。

穆康學醫前是個強盜，專門劫自己之貧，去救更貧窮的人，還常常不小心救到假裝乞丐的富人，因此江湖人簡稱他「濫好人」。

很多人罵他笨，但他性子執著，認定了便不改變，依然喜歡助人。

後來他好運地在槐樹村道旁撿到一斛珍珠，那裡的大夫卓不凡說是他丟的，穆康便將珍珠還給他。

之後，卓不凡便說他交了學費，要收他做徒弟、教他醫術。

那時他正好窮到三天沒吃飯，想到拜了師至少有人管飯，便可有可無地答應了。

不意卓先生本領非常，他藝成之後救人無數，倒也積了不少功德。

但卓不凡什麼都好，就是不擅長取名字，他因為收了穆康一斛珍珠，從此便稱他為一斛珠。

穆康的綽號不怎麼樣，但以前幹強盜時的藝業倒不錯，手底下也有幾招硬把式，加上卓不凡見識非凡，便把他的武功提升到一流高手的境界，可以說他走遍天下很少遇到對手，尤其是這樣的場面——兩個女人圍著他打雪仗。

像他這樣近一米九的大男人，有可能被雞蛋大小的雪球砸暈嗎？除非天下金條、地湧銀泉了。

穆康挨了幾下雪球，心情有幾分不快了，但他還是不想跟兩個小妹妹一般計較。

「妳們夠了喔，再繼續，我要反擊了。」

「來啊，怕你不成。」

那丫頭居然對他勾手指耶！這麼下流的動作到底是誰教的？

「小丫頭欠教訓了。」穆康施展身手——砰，摔個五體投地。

怎麼回事？他的內力似乎正在消失！

「哈哈哈，你以為剛才是在跟你玩啊！我們是在拖延時間，好讓小祖宗的毒煙將你迷倒。」

「小小年紀居然如此惡毒?!」

沒有內力有什麼關係，穆康依然是個高頭大馬、力能舉鼎的大丈夫。

他從雪地上爬起來，棄了藥簍、只持藥鋤，像隻發狂的猛獅撲向兩人。

等他捉到她們，把她們綁起來打屁股，她們就知道「禮義廉恥」怎麼寫了！

「不是吧！這樣也行？」沙貝兒趕緊拉了阿敏、白狐逃命。

她別的本事不行，輕功倒是很厲害，完全是為了躲避爹娘、偷跑出去玩，跟著岑爺爺練出來的。

不過她體力不行，沒半個時辰便氣喘吁吁，一副快斷氣的樣子。

「小祖宗，有沒有辦法再來一次？」她就不信從小用各種劇毒餵養出來的寶貝白狐，會降不住一個大男人。

白狐縮頭縮腦，一副有氣沒力的樣子。

「沒用的東西。」沙貝兒罵了聲，也怕白狐真累壞了，要是從她肩頭跌下去，小命就玩完了。

她把白狐從肩膀上抓下來塞進懷裡，拉起阿敏，跑得更是狼狽。

突然——

砰！好大一記撞擊聲響，嚇了眾人一大跳。

「你……你們……」穆康掙扎著轉頭，看見一個身穿五花衣裳、滿臉驚慌，淚水口水佈滿臉面的男人。

男人手裡拿著一根腕口粗的大木棍，顯然剛才偷襲穆康的就是他。

他哭得一把鼻涕、一把眼淚。「壞人、壞人、壞人……不要過來，壞人……」

穆康冤枉死了，從頭到尾他都是被害者，真正的壞人是那兩個女人加一隻白狐，好嗎？

「傻子，你怎麼來了？」沙貝兒氣喘不已地停下腳步。

「媳婦兒！」傻子就是沙貝兒指腹為婚的未婚夫趙天源。他一看見她，好開心。

「我要跟妳一起玩。」他是偷偷跟在她身後來湊熱鬧的。

「不准叫我媳婦兒。」沙貝兒最討厭這句話。

穆康懂了。「原來你們都是一夥兒的！」他快氣死了。

他的頭痛得像要炸開，白狐的毒煙又在他體內作怪，讓他的力氣一點一點地流失，若不儘快解決這些人，說不定真要栽在這裡。

「傻子，打他。」沙貝兒不信他們這麼多人，還撂不倒一個蠢大夫。

「好。」趙天源舉起木棍，瞄準穆康的頭。

「快點。」沙貝兒催他。

「是！」趙天源一向唯命是從，高舉木棍，目標是穆康的天靈蓋。

但穆康手中的藥鋤也非凡物，他用力一擋，木棍便斷成兩截，嚇得趙天源又哭又叫。

「好可怕！媳婦兒，救命啊……」

「不許哭！」沙貝兒最受不了趙天源動不動就哭。男子漢大丈夫，應該流血不流淚啊。

「小姐，我擋住他，妳先走！」危急時刻，阿敏還是講義氣的。

「就妳那兩下，擋個屁啊！」沙貝兒估計，他們這群人根本擋不住穆康的一鋤。

「等一下大家分開跑，能走一個是一個。」

「你們一個也跑不了了——」

穆康正想大發神威，說時遲、那時快，一團白影突然從沙貝兒懷裡竄出來，直撲穆康。

「什麼東西？」他本能地閃躲。

誰知，那股熟悉的香味又在空中蔓延開來了。

「毒煙！」霎時，他癱倒在地，再也站不起來。

原來小祖宗還有再戰之力，剛才的可憐樣都是裝的。

穆康真想不到，這群傢伙連人帶畜牲都這麼卑鄙，他拚命扭動身子，可惜仍是一動也動不了，甚至連腦子都混沌了，意識漸趨迷離。

「小姐，是不是真解決了？」阿敏是知道穆康厲害的，至今依然怕得渾身發抖。

「我怎麼知道？」沙貝兒搶過趙天源手中的木棍，捅了穆康兩下，他都沒動，似乎真的昏迷了。

「媳婦兒，我們捉他做什麼？」趙天源問。

「做新郎。」沙貝兒隨口答他。

聞言，趙天源放聲大哭。「妳的新郎明明是我，為什麼要搶他做新郎？」

沙貝兒兩指堵著耳朵。她最怕趙天源的嚎啕大哭了。

「是搶來給阿敏做新郎的。」

「喔！」趙天源腦子不太好，所以沙貝兒說什麼，他都相信。

倒是阿敏羞得滿面通紅。「小姐，妳怎麼說這種話？」

沙貝兒小聲說：「我哄他一下而已，妳那麼緊張幹什麼？真看上人家啦？」

「小姐……」阿敏跺腳。

「好啦！快找繩子把他綁起來，記得細結實點兒，萬一讓他跑了，我們就麻煩了。」沙貝兒邊說邊撿立下大功的白狐。這回多虧有牠，否則他們全部完蛋。「放心，回去後，我就去爹的藥庫偷一堆靈藥給你進補，保證你恢復如初。」

白狐點著沒力氣的小腦袋，這回真的是很危險啊！

❀　❀　❀

回到雪堡後，沙貝兒就交代趙天源千萬別把今天的事說出去，否則再也不理他了。

趙天源從來聽話，她說站，他絕不敢坐。

打發他之後，她又弄了盆藥水將白狐泡在裡頭。若是一般生物碰到這藥水非死即傷，白狐卻快樂地在裡頭滑水，幾乎快成精了。

然後她和阿敏開始收拾穆康，先用大麻繩將他從頭到腳綑個結實，再拿天蠶絲把他十根手指、十根腳趾也綁起來。

有鑑於穆康一身功夫不俗，加上高大威猛、天生神力，萬一麻繩和天蠶絲被繃斷怎麼辦？

沙貝兒又拿來鐵鍊，將他仔仔細細綑成一顆球。

阿敏看得額頭直冒冷汗。「小姐，這樣是不是太過分了？」

一想到穆康的強悍，沙貝兒打了個寒顫。「我還怕綁得不夠周全呢！妳給我出出主意，還有沒有什麼辦法能將他綁得更妥善些？」

「妳乾脆殺了我，豈不更方便？」一個鬱悶的聲嗓響起，卻是穆康醒了。

「咦，一般中了小祖宗毒煙的人都要睡三天的，你怎麼醒得這樣快？」她想也不想便抄起櫃上的大花瓶，打算他若妄動，直接再把他打昏。

「我是大夫，長年接觸各式藥物，自然有些抵抗力。」而且他功夫又好，那些毒煙迷不了他太久的。

「原來如此。」沙貝兒把花瓶對準他的頭。「你別亂來喔！否則我不客氣。」

「這句話應該是我說的才對。」穆康明明已被綁得一根手指也動不了，偏偏氣勢一點也不萎靡。「妳綁架我到底想幹什麼？」

「請你幫我配一帖藥。」她簡單地將岑爺爺的事說了一遍。「沒有藥，我就得嫁給趙天源了。」

若為這事，倒算情有可原。穆康便道：「妳把藥單拿來讓我看一下。」他沒要求沙貝兒鬆綁，以那女人的刁蠻精幹，大事未成前要她放人，是沒指望的。

沙貝兒給阿敏一個眼色，她便跑出去，半盞茶後，捧著藥單走進來。

沙貝兒沒把藥單給穆康，第一，她不信任他，第二，他被綁成這樣，也沒辦法看藥單了。

因此她唸出藥單上的成分和計量，足足唸了半刻鐘。

穆康聽得目瞪口呆。「這藥的名字該不會是神仙配吧？」聽起來很像，但肯定被改動過。

「你怎麼知道？」

他沒回答，只問：「妳幾歲開始吃藥的？」

「十六。」她爹就是從那時候開始逼她成親的，然後她便吃藥以應付爹爹的逼婚。

「妳有沒有發現一件事，自從妳開始吃藥後，就不長個頭了，嗯……連身上其他該長的地方也都不太長了。」

「是啊！」她真懷念小時候跟阿敏比身高的事。十歲以前，阿敏還不到她耳朵呢！結果現在她足足比阿敏矮了半個頭。

「嗯哼！」穆康輕咳一聲。「我可以請教小姐一個比較私人的問題嗎？」

「什麼？」

「小姐今年貴庚？」

「二十六。」沙貝兒的臉色不太好。「怎麼，你有意見嗎？」她知道自己的樣子是嬌小了點，但大家都誇她可愛啊！

「不是。」穆康被綁得連搖頭都不成，只能嘆息地道：「這神仙配吃了是不傷身體，但從此不長個子、連樣貌也不會改變，直到接近死亡，才會突然老化、迅速逝去。」換句話說，這是一種不算成功的永保青春秘方。「但妳這藥方又被改過，不僅會讓服藥者相貌不變，平時還會氣虛體弱、面黃肌瘦，一副重病纏身的樣子。」

沙貝兒張大的嘴巴差不多可以塞進一顆鵝蛋了。她呆了好久，才不帶希望地問：「你可不可以把剛才的話重說一遍？」

穆康複述一回。

沙貝兒顯然受驚過大，整個人都傻了。

阿敏小聲地問：「穆大夫，你的意思是不是，小姐二十六歲是這樣子，三十六、四十六、五十六也是這樣，她永遠都長不大了？」

「是的。」

沙貝兒爆發了。「岑爺爺明明說這藥不傷身的，為什麼會這樣?!」

「它確實不傷身，至少沒聽說過吃了死人。」但有沒有其他問題就不保證了。再說，服過這種藥的人，多在四、五十歲死亡，算不算天壽已到？他也不知道。

「但是我永遠都長不大了……」

「這個……」其實有藥就有解，但被綁成這樣，穆康有些不爽幫忙。

沙貝兒是多麼精明的人，聽穆康的話，便知他別有深意，只是……她能相信他嗎？

他現在被綁得像顆球，自然是有問必答，但萬一……她把雪堡裡幾個厲害的叔叔點過一遍，根本打不過人家。

可她也不想一輩子保持「十六」歲的模樣，現在大家會說她可愛，等她五十六歲時，人家不把她當妖怪燒了才怪！

「你真能治我？」

「不知道。」穆康是個實誠人，不講虛話。「神仙配本來就是很奇特的藥物，我也沒見過有人敢連吃它十年，這後果會怎麼樣，得先把完脈、看過診才好說。」

「萬一治不好呢？」

「妳們女孩子不都喜歡青春永駐，這讓妳一輩子十六歲，妳還不滿足？」

沙貝兒氣得踢了他好幾腳，姑娘愛漂亮是天性。但漂亮也分好幾種，發育完美、前凸後翹、妖嬈嬌媚，那才是沙貝兒的夢想，不是現在的「天真蠢蠢」。

她洩了憤，一時卻想不出怎麼辦才好？本以為捉到穆康，讓他配了藥，她繼續吃，騙老爹身體不好，不能成親，便算完事。

誰知冒出這些問題……沙貝兒心裡暗想，若讓她長到二十六歲再來吃，興許會開心些，但永保十六？天啊！這還讓不讓人活?!

她現在腦子亂烘烘的，也不知道該怎麼辦才好，乾脆把問題丟著，招呼阿敏往外走。

「喂，妳要綁我多久？」穆康在後頭問。

沙貝兒沒理他，只顧著出去。

「真是個不講理的女人。」穆康扭動著身體，十分難受。不是沙貝兒綁得太緊，實在是人有三急啊！

萬一沙貝兒連綁他三天……他真想就這樣暈死過去算了。

這樣不行，三十幾歲的大男人，若被發現尿褲子，非給笑死不可。

他開始喊人。「有沒有人啊？」

但沙貝兒把他扔在地窖的寶窟裡，這地方若不是雪堡重要人物，一般人是無法進出的，所以不管穆康怎麼喊，也沒人聽見他的求救。

他急得額頭上的青筋都浮出來了。

「快來個人給我鬆綁！」可恨內力還沒恢復，否則這一喊肯定比雷霆霹靂更響亮，包管雪堡中人人能聽見。

「有沒有人？快來人——」他已經在地上翻滾起來了。

「你叫我嗎？」一個憨憨的聲音在他頭頂響起，卻是趙天源。未來姑爺自是有進出寶窟的資格。

「傻子？」

「你又不是我媳婦兒，不准叫我傻子。我的名字是趙天源。」

「傻子」二字是沙貝兒唬弄他的，說跟「相公」一個意思。她很抗拒這親事，所以私底下都叫他「傻子」，只有在她爹面前，她才會乖乖稱呼他「趙公子」。

但趙天源很相信沙貝兒，還覺得喊「趙公子」太生疏，恨不能她隨時隨地叫他「傻子」呢！

「我不管你叫什麼，快點給我鬆綁！」

「不行。」

「為什麼？」

「媳婦兒沒說能給你鬆綁，我就不能做。」

「她也沒說不行啊！」穆康哄他。「我現在急著上茅廁，你不給我鬆綁，萬一我把這裡弄髒了，你媳婦兒還不氣死？」

「對喔！」趙天源最喜歡沙貝兒了，只要是她討厭的事，他絕對不做。相反的事，他一定徹底執行。

他想盡辦法，終於幫穆康鬆了綁。

穆康連聲謝都來不及說便衝了出去。他急得什麼都顧不了，只想找到茅廁，徹底解放。

第二章

穆康從地窖裡出來後，徹底怔住了。

這是什麼地方？遠古洪荒？東方仙界？世外桃源？不管是哪裡，簡直太神奇了。

此地連路邊的雜草都是藥草，更不用說走兩步就會踢到一株人蔘，它們現在也許只有兩品，且是小小的蔘苗，但再過幾年，等它長到六品、七品……天哪！他心臟快麻痺了。

他完全無法估算這些東西的價值。世上怎可能有這樣一塊寶地？外頭白雪紛飛、一葉不生，裡面溫暖如春，遍地異卉。

若他那心比天高、命比紙薄的師父能來這種地方休養，說不定身子就能痊癒了。

穆康站在道路中央，再也邁不開腳步了。

「你這個人怎麼這樣？」趙天源氣喘吁吁地追上來。「人家放了你，你招呼不打一聲就跑，還站在這裡擋路，妨礙大家做事。」他跟每一個路過的人道歉。

別人也不與趙天源計較，雪堡的人都知道他腦子不太靈光。

「對不起，我看到這裡如此多藥草，一時便呆了。」穆康並不以一個人的聰明與否而看輕其人，所以他待趙天源十分有禮。

「這哪是什麼藥草？」趙天源不屑地撇嘴。「岑爺爺苗圃裡的才是藥草。」

意思是那裡有比這兒品質更好的貨色？

天哪，穆康賺到寶了。

「趙兄弟，你可以帶我去看一下苗圃嗎？」

「好啊，但是你不能摘喔！否則岑爺爺會打你屁股。」顯然，他挨過這樣的教訓。

岑老大夫在雪堡地位崇高，堡主都敬他三分，但他脾氣古怪，一般也不與人來往，只有沙貝兒特別，他倆像親祖孫似，不管她說什麼，他都會想辦法幫她完成，否則，哪裡有神仙配這種事？

「我絕不動苗圃裡半根藥草。」穆康鄭重立誓。

趙天源見他也不像壞人——其實他哪裡分得出誰好誰壞——於是，便帶著穆康來到岑爺爺的苗圃。

穆康見趙天源指著牆角一個大狗洞，有點愣住。

「這是什麼？」

「狗洞啊！」趙天源發現他越來越喜歡穆康了，因為很少遇見比他更傻的人。

「我們為什麼要鑽狗洞？」

「岑爺爺的苗圃一般不准人進去，若不鑽狗洞，如何看？」

「這……這豈非正人君子所為？」看來穆康比趙天源更天真一點點。

「沒關係，我不是君子，我是傻子。」趙天源已經鑽向狗洞。「你到底要不要來看？」

穆康猶豫了下，還是好奇，於是他決定跟著趙天源。

當他鑽進狗洞時，已經不見趙天源身影，倒有十多條大犬齜牙咧嘴、淌著口水圍住他。

「我就知道你們兩個不安好心眼。」沙貝兒拿著小皮鞭，站在群狗後。「說，你們是不是想偷岑爺爺的藥草？」

「不是啊！」被阿敏壓制在地上的趙天源喊冤。「我們只是來看一看，媳婦兒——」

「不許叫我媳婦兒。」沙貝兒當然知道趙天源沒心眼，不會幹壞事，但穆康呢？他——咦，他跑哪兒去了？

原來穆康瞧見苗圃便入迷了。

「夜光蘭、食心草、燭龍菇……」全是外頭只聞其名、不見其影的寶貝，想不到這裡全部都有，這些東西若被人發現，肯定搶得頭破血流。

「我決定了！」穆康身為一名醫者的雄心壯志發作了。「我要在這裡住下來！」就算他不能動這些藥草，但每天看著它們，也恍若置身天界。

「你說要住，我們就要讓你住嗎？」沙貝兒哧笑。

「不讓我住，我保證這些藥草不到三年，死得一根不剩。」穆康道：「從它們生長的跡象來看，看得出它們有一段時日沒有受到良好照顧。妳看這株七心蓮，它的根部都枯萎了，再繼續下去就死定了。」

「哪裡枯萎？明明就很青翠，我每天都有澆水的。」岑爺爺病倒後，照顧苗圃的工作便落在沙貝兒身上，她也確實認真照顧它們，只可惜……天分這種東西是強求不來的。

「妳什麼時候給它澆水？」

「一大清早啊！不都說早晨澆水對植物最好？」

「但七心蓮不同，它只有月上中天時才需要山泉滋潤，不然井水也行。」穆康嘆口氣。「妳根本不認識這些藥草、也不懂得怎麼照顧它們，再繼續下去會有什麼後果，妳心裡明白。」

「那……你也不是我們雪堡的人，把如此重要的苗圃交給你，誰知你會不會心懷不軌，乘機把我們的藥草都拔光拿去賣錢？」

「誰敢拔這裡一株藥，我便與他拚命。」如今在穆康眼裡，這些藥草已經比他的性命珍貴。「再說……」他嘆了好長一口氣。「不是每一種藥都是直接拔下來就能用的，妳那樣做是糟蹋寶貝。」

沙貝兒猶豫了。他說的她也不是完全不懂，只是……岑爺爺半生心血，真能這樣隨便委託他人？

加上穆康與她前有恨、後有怨，萬一藉此向她尋仇怎麼辦？

「小姐。」後頭，阿敏拉拉她衣袖。「妳想讓他幫妳配藥，不讓他留下來也是不行啊！」

但沙貝兒本想等他配完藥，就把他送出去，神不知鬼不覺，現在他要留下來，她怎麼跟阿爹交代？

沙貝兒快煩死了，這時，趙天源突然插了一句話。「媳婦兒，他是好人，妳就讓他留下來嘛！」

「你分得出什麼是好人、什麼是壞人？萬一他的忠厚都是裝的，其實心懷不軌，怎麼辦？」

穆康對趙天源倒是挺有好感的，畢竟他也算是自己的恩人。

「我若有異心，你們這裡也沒人擋得住我。」他冷道。

這一點大家都無話可說，穆康的能力確實很可怕。

「那那那……」沙貝兒的腳跺了好幾下。「就算我答應讓他留下，阿爹那關怎麼辦？」

雪堡立在百花谷已有幾百年，當年天下大亂，各路諸侯逐鹿天下，兵鋒過處，鮮血橫流，沙家村的村長不願為軍，便帶領附近幾個村鎮的難民四處遷徙，五千老少飽經艱辛，最終活著走到這裡的，不足五百。

因為有這樣一段歷史，他們排斥外界，對外人也不太友善。

他們在雪堡自立自足，幾乎不與人接觸，現在莫名冒出一個穆康，沙貝兒和阿敏光想就覺得頭好痛。

「小姐，不如……」阿敏把目光投向趙天源。

再怎麼說，穆康留下來對她是有好處的，說不準能解開她的神仙配，讓她重新成長。

「傻子。」她對趙天源招招手。「是你把他放出來的吧？」

趙天源點頭。「他說他要上茅廁。」

「你放了人，萬一被爹發現，怎麼辦？」她絕口不提是自己把人捉進來的。

「我知道你不怕打，可爹若罰你跪祠堂，一天不准吃飯呢？」

趙天源整張臉都垮了，他最不經餓了。

「我不要跪祠堂，媳婦兒，救救我，我不要餓肚子……」

「要不這樣，我們去找爹自首，就說你不小心把他放進雪堡了，請爹饒你一回。爹知道你的情況，對你一向大度，只要你誠心求情，也許沒事呢！」

「真的？」趙天源雖然很喜歡沙貝兒，但次次被騙，也是能養出一點點經驗的。

「也許就是不一定的意思，可這已經是我能幫你的極限了。」論臉皮厚度，沙貝兒堪稱第一。「剩下的你只能自己看著辦。」

「可是……」

「傻子，男子漢大丈夫，自己做事要自己擔啊！」

「如果真要跪祠堂……」還沒跪，趙天源已經開始哭。

穆康替他抱不平。「明明就是妳——」

他沒說完，剩下的話被沙貝兒淡淡地堵住。

「你還想不想留在苗圃工作？」

一邊是義氣、一邊是興趣，穆康掙扎地抓頭髮。

「沒什麼啦，」沙貝兒的下一句話，把這整件事徹底解決。當然，她是沒事的。「傻子跪祠堂的時候，我就叫阿敏幫忙送飯，不就得了？」

「媳婦兒，妳對我真好。」

唉，標準的被人賣了，還幫人數錢。

❀ ❀ ❀

出乎眾人意料之外，穆康的到來並沒有引起沙堡主的憤怒，相反地，他還很開心。

雪堡說是堡，也只是一個稍大一點的村鎮，鄰里互通、雞犬交鳴，沒有誰是不認識誰的。

當年為避戰禍，村民來到這裡，能保住性命已經不錯了，至於那些文書典籍自是全丟個一乾二淨。

他們識字、編織、打鐵，生活上的各項技能都是祖輩一代代流傳下來的，雪堡中唯一的外人就是年近九旬、如今已奄奄一息的岑爺爺。

他還是在二十多年前被前任堡主偶然在百花谷內撿到，一時心軟，才讓他在堡裡住下，否則，之前堡中居民生病，都是請長老跳大神解決。

結果，他成了堡裡唯一的大夫。

有了他，堡中居民橫死的機會降低許多，近幾年，人口更順利破千，雪堡的發展蒸蒸日上。

但人是會老的，岑爺爺再長壽，也終於老到動彈不得的地步。

現在雪堡居民生病都很麻煩，難道再去跳大神嗎？總之，堡內急需大夫一名，只要他的技術不是太差，能治好一般普通小病，沙堡主願意跪求人家留下來。

何況來的還是鼎鼎有名的一斛珠，穆康。

沙堡主差點對穆康說：「只要你肯留下來，堡裡你要什麼，儘管拿去。」當然，他的老婆和女兒除外。

「早知道這麼簡單就沒事，功勞我就自己領了……」沙貝兒小聲嘟囔著。

大廳裡，誰也沒聽見她的話，但穆康耳力好，卻把她的話聽得一清二楚，這使他對沙貝兒的印象差到極點。

他的眼神幾乎不與沙貝兒對上，沙貝兒也不看他。

想想兩人都是二、三十歲上下，他遊歷天下、見識廣博、氣度不凡，她卻只能窩在雪堡裡裝病避婚，際遇相差實在太遠，莫怪她心生嫉妒。

穆康答應了沙堡主留下來的要求，沙堡主立刻請他幫忙為沙貝兒看病。

「穆先生，你瞧我這閨女都二十六了，身形還像十五、六歲的小ㄚ頭，面色青黃，走兩步路就喘吁吁，天天拿藥當飯吃，我真怕她哪天……你可一定要救救她！」

她除了身子不長是服用神仙配的問題外，其他都是裝的，根本沒病，要怎麼醫？

倒是另一個人……他的目光轉向趙天源。這位兄弟雖說憨了點，卻很忠實，穆康很欣賞他。

「堡主，令千金是天生帶病，得長期調養才行，這是急不來的。但趙兄弟……我觀他並非天生癡愚，應是後天受創所致，若能善加治療，雖不至於恢復如初，卻也能改善大半。」

「你你你──」沙堡主興奮得都不會說話了。「這是說……天源會好？」

「我不敢保證，但有五成機會。」

「別說五成，就算你只有一成的機會，只要能治好天源，雪堡上下感激不盡！」

「我需要為趙兄弟做一次仔細的診斷。另外……」穆康為難著。

「有什麼問題你儘管說，只要我們能做到，絕不推諉。」

「我需要一些藥材。」

「雪堡裡所有的藥任你使用。」說著，沙堡主看向沙貝兒。

女兒對這樁親事不滿意，他也是清楚的，但趙家兩口子都是為了護衛雪堡而死，沙家人不能對不起他兩人啊！

至於夫妻感情，他跟夫人還不是紅蓋頭掀開便成夫妻，多年來一樣相敬如賓，只要女兒不耍脾氣，他相信這會是一樁好良緣。

「貝兒，穆先生若要用到苗圃的藥，妳也不准阻攔，聽見沒有？」沙堡主道。

沙貝兒氣得渾身發抖。穆康先前才說過不動苗圃裡一草一物，現在卻……這男人果然奸詐！

✽ ✽ ✽

穆康為沙貝兒做了詳細的檢查，得出的結果算好，也算不好。

當年岑爺爺為了幫她避婚，給她神仙配，也知那藥有後遺症，所以對藥物做了改良，讓她長不大、面黃肌瘦，一副隨時會斷氣的樣子。

這是抑制她體內的精氣，只要經過適當疏通，讓她的精氣神重新遊走於奇經八脈中，她依然有恢復的可能。

至於不好的消息是疏通的過程非常痛苦，而且長達三年，沒毅力的人多半熬不住，死在半途。

所以大家都勸沙貝兒考慮清楚，別弄個英年早逝就糗了。

沙貝兒氣個半死，居然沒人相信她能受苦，大家都當她豆腐捏的，一碰就碎？太可惡了。

而最混蛋的是穆康，他直接說她肯定一天也熬不下去，就別浪費大家時間了。

只有趙天源最憨實。沙貝兒跟他說：「傻子，我能熬過去，對不對？」

趙天源點頭。「媳婦兒絕對沒問題。」

唯有這種時候沙貝兒才會想，嫁傻子也不錯，至少他對她百依百順。

但想歸想，真正要她下嫁，那是不可能的。

為了證明自己的勇氣與毅力，沙貝兒要求儘快為她治療。

穆康只花了一炷香的時間便準備好一切。他早想教訓這女人一頓，現在她自己送上門來，他再不把握，除非是腦袋被驢踢了。

他說：「治療的地方要絕對安全，一定不能受到打擾，否則前功盡棄。」

沙堡主就把雪堡中半數護衛調去守護沙貝兒的閨房。

他又說：「治療時，因為痛苦，她可能會發出一些奇怪的聲音，請大家當作沒聽見。」

沙堡主把他的話當聖旨一樣奉行不疑。

「治療手段會有些殘酷，但保證對身體無害，請大家別擔心。」

這回，沙堡主開口了。「只要別折騰死俺閨女，其他隨便你。」突然，他看見一臉憂心的趙天源，再補一句。「還有，男女授受不親，別亂來啊！」

「我是大夫，不是姦夫！」穆康抗議。

終於，他們開始進行治療了。

在沙貝兒的閨房裡，他告訴她。「是藥三分毒，就像百年老山蔘，妳一次十株吞下肚，也會死翹翹，這道理妳懂吧？」

她點頭表示理解。

「神仙配也是這種道理。它對身體是有好處的，但太好了，才會產生後果。現在我要一點一點洩去妳體內的藥物，以確保妳的身體恢復原狀。」

「真的可以恢復？」她再問一遍。若是吃了半天苦頭，卻一點功效也沒有，她就把穆康的頭塞進苗圃的狗洞裡。

「理論上可以。」穆康聳肩。「實際上，我也沒把握。沙姑娘，妳這種情況即便不是後無來者，也絕對是前無古人。既無前例，我怎有辦法做保證？但妳若害怕，隨時可以後悔，咱們就別麻煩了，各自忙碌去吧！」

沙貝兒古靈精怪，唯獨受不得激。他說她會害怕，那便是龍潭虎穴，她也要去闖一闖了。

「好，我做。」

「若有萬一，可不能怪我。」

「這是自然。」白癡，不怪他，怪誰？她若有問題，第一個找他算帳。

穆康讓人準備了金針、浴桶和蒸籠。沙貝兒看得有點傻眼。

「金針度穴、浸泡藥浴我都聽過，但要蒸籠做什麼？」

「把妳放上去蒸啊！」穆康隨口說。

「你想殺死我嗎?!」

「要殺死妳，我一根手指就夠了，要蒸籠做什麼？」穆康說：「那是在浸泡完藥浴後，幫妳迅速蒸出藥力的。想想妳吃了十年的藥，要我三年內把它們弄出來，不使點狠招，怎麼可能？」

但沙貝兒看見蒸籠就頭皮發麻。

「那你就用十年的時間幫我把藥性導出來嘛！」她真的不想進蒸籠。

「這個……」穆康為難。「其實限定時間治好妳，是妳爹提的主意。他不想妳年過三十才痊癒，坐上花轎、拜堂成親。而妳今年已經二十六，時間不多了。這樣說，妳明白嗎？」

趙天源、笨傻子、爛傻子、臭傻子，全都是他害的，她討厭死他了。

「我根本不喜歡他！我為什麼要嫁給他？」沙貝兒抓狂。

「這個問題妳應該去問妳爹。」他拿出金針，根根細如毫髮，黑如墨汁。她從沒見過這麼奇特的東西。

「我爹讓我嫁他只有一個原因──報恩。」她好奇地看著金針。「為什麼你的針是黑的？還如此纖細？」

「不知道，這針是我師父發明的。他可以一次使上一百零八針，聽說死人都可以讓他救活。」他有些不好意思。「但我功力不夠，只能使上三十六針。不過要治妳和趙兄弟，卻是沒問題。等趙兄弟恢復正常，也許妳就會喜歡他了。」

平心而論，趙天源樣貌並不差，若非反應慢一點、愛哭、愛吵又愛鬧，加上沒學問、沒專長、沒武功，稱得上是不錯的夫君了……

穆康想著想著，突然有些同情沙貝兒。若換成他，要嫁趙天源那樣的人，心裡想必也是不滿意的。

但至少趙天源有一項很好——他愛沙貝兒，願意為她赴湯蹈火、在所不辭。

「你們男人根本不懂，感情這種事不是講條件的，是看心裡的感受。我跟傻子一起長大，他就像我哥哥一樣，你能想像你跟自己的親姊妹成親，晚上顛鸞倒鳳嗎？」

穆康打個寒顫，說不出話。

「哼！」沙貝兒不滿地往長榻上一坐。「現在我該做什麼？針灸？藥浴？還是上蒸籠？」

「針灸。」他說，雙手一攤，三十六根黑針沒入沙貝兒周身三十六穴，而她甚至一點感覺也沒有。

「這樣就好了……」天哪，他的技術也太神奇了，簡直就是華佗再世……慢著，為什麼她覺得身體有些癢癢的，好像有一隻隻的小螞蟻正從她的骨髓裡鑽出來，啃咬著她的肉。「穆康，你對我做了什麼？」她哀嚎。

「我說過會有些疼的。」

沙貝兒已經喊得屋頂都快塌下來了。這哪裡是有些疼？根本是疼入骨子裡！疼得她腦袋快要炸掉，身子要四分五裂了！

「穆康……你這小人，你害我！」她厲吼。「來人啊！救命，快來人啊——」

可惜外頭的人早已收到指示，不管房裡發生什麼事都不能打擾。

沙貝兒只能不停地打滾、嘶吼，直到嗓子都啞了。

第三章

一開始，穆康對沙貝兒的印象很不好，覺得她就是個被寵壞了，既任性又自私的小姑娘。

他對她做的治療多數是必須的，但他也承認，這其中有小部分是他故意想整她的。

他以為她一定熬不住，早早求饒，也算報了被她綑成一顆球的仇。

想不到她哀嚎歸哀嚎，卻沒有認輸。

她掙扎著用盡所有力氣，完成第一回的治療。

等她從蒸籠裡出來的時候，已經全身濕透、面色發青，三分不像人、七分倒似鬼了。

「嘿嘿嘿，我就知道我行的……」她笑得很虛弱，卻十足地猖狂。

他突然覺得這姑娘也不是那麼一無是處，至少，她擁有無比的毅力與勇氣。

「不錯，照這樣——喂！」他沒機會把話說完，因為她昏過去了。她終究是個嬌弱的小姑娘，禁不起太多的苦。

穆康隨手舉袖，拭去她滿頭滿臉的藥汁與汗液，露出白皙嬌顏，可愛的模樣就像臨江初綻的水仙，嬌麗中自有一股清新。

這是她十六歲的模樣，尚帶著稚氣，卻能看出將來的美麗。

等她恢復原狀，他想，這份青春必然成為魅惑眾生的妖嬈。

不過……他還是覺得她這樣好看，清清秀秀的，卻有一股蓬勃朝氣，教人光是瞧著便覺舒心。

他扶她坐起，雙手抵著她柔荑，一股溫和內力自他掌中流進她身體。

他以前看她不順眼，所以刁難她，如今卻佩服她的勇氣，便想助她一臂之力。

渾厚的內力流遍她全身，一點一滴驅走她體內的疲憊，不多時，她昏迷的理智漸次回籠。

但她尚未完全清醒，只是迷迷糊糊睜開眼，見到一張剛毅面容，五官深邃，眉毛深濃，斜飛入鬢，鼻子更挺，宛如刀削，唇形卻溫潤。

最最奇妙的是他的頭髮，是種很深的茶色，雖然近似鴉羽，但湊近看，仍能瞧出那淺淺的異樣。

他的髮有點鬈，披在肩上，沒綁沒束，卻也沒有一絲邋遢的感覺，反而顯得豪放。

原來一斛珠穆康長這個樣子。她第一次這麼近地觀察他，不知怎地，她瞧得一顆心微微發熱，腦子也漸漸清醒了。

「抱元守一。」突然，他說。

她趕緊端正精神，感覺他的內力流遍她全身，像一股暖流，正緩緩洗去她體內的髒污。

那感覺很細微，但她仍察覺到他不只在調理自己的身體，甚至疏通她的經脈，這對她有莫大的好處，日後她練武百脈暢通，自然事半功倍。

她嚇一跳，他怎麼突然對她這樣好？

她悄悄地睜眼看他，見他額上汗珠淋淋，顯然這件事讓他也很辛苦。

她不禁反省自己的作為，欺負他、綁架他、威脅他，幾乎沒給他好臉色看，他卻待她如此周到，她是不是虧欠他太多？

她偷偷在心裡跟他說「對不起」，以後她會對他好一點的。

穆康給她運完功，自顧調理休息半刻鐘後，才起身道：「好了，以後每半月治療一次，短則三年，長則三年半，妳應能恢復八成。」

「才八成啊？還以為你很厲害呢，原來也不怎麼樣。」她嘴上這麼說，心裡卻想自己運氣不錯，半個月才來一次，若每天都要治療，她就不活了。

「不高興妳可以不做啊！」他轉身出了閨房。

她有點委屈，自己不過抱怨幾句，他幹麼反應這麼大？

「了不起以後人家客氣點嘛！」這可是她頭一回想要討好一個人耶，他應該去焚香感謝天地了。

「小姐！」這時，阿敏終於獲准進房了，一見沙貝兒便開始哭。「小姐，妳有事沒？剛才妳叫得好悽慘，大家都以為……嗚嗚嗚……那治療一定很痛苦。小姐，不如咱們別做了，反正現在這樣也不錯……」

「開什麼玩笑？」沙貝兒雙手插腰。「本小姐是那種半途而廢的人嗎？我一定要恢復原——哇！」她尖叫，原來是趙天源衝進來，一下子就把她撲倒在地。

「媳婦兒！」趙天源一臉的鼻涕和眼淚全擦在她身上。「妳有沒有事？我在外頭聽得好擔心——啊！」

「混帳！」沙貝兒一邊吐，一邊將他踢出去。「那麼噁心的東西也敢往我身上擦！」

隨即，她又恢復了往常的刁蠻囂張。

「阿敏，備水，我要洗浴。」她看見趙天源的鼻涕，又吐了。「傻子，你給我滾出去，沒我的命令，你再給進來，我砍了你的腿！」這麼多鼻涕，天啊，她快瘋掉了……

趙天源委屈得要死，人哭的時候，本來就會流鼻涕嘛！為什麼人們不覺得眼淚噁心，看到鼻涕就很討厭？明明是從同一個人的身體裡冒出來的啊！

他喜歡胡思亂想，想著想著，又把自己搞得糊裡糊塗了。

✽　✽　✽

自從開始接受治療後，沙貝兒就徹底明白一件事——人比人，氣死人。

為什麼穆康治療趙天源，只是讓他每天喝一碗藥，事後還有糖丸吃，不用扎針、不必藥浴，連蒸籠都沒有？

哪像她痛苦得死去活來、活來死去。

「這是歧視！」她向穆康抗議。

「問妳爹去。」他臉色很臭。今天本來可以在苗圃陪著他可愛的藥草一整日的，卻被瘋丫頭拉出來逛集市。

拜託，就二、三十個賣吃的和三流飾品的小地方，有什麼好逛的？

雪堡真的是什麼都沒有，土地貧瘠，糧食稀少、釀酒的方法還是幾百年前傳下來，弄成酸不酸、辣不辣的東西，也沒有絲綢，大家都穿布衣，珍珠寶石更是少見，姑娘們的飾品多是木頭雕成，手藝普普通通，鳳凰不會看成雞就是。

這樣的集市，一眼看穿，除了無聊，也只剩無聊。

「又關我爹的事了。」她要不要跟爹確認一下親子關係？要不阿爹待她和趙天源怎麼差別如此多？

穆康看向後頭的阿敏和趙天源都被捏糖人吸引了，沒注意到這邊，才小聲說：「堡主希望妳三十以前披嫁衣，至於趙兄弟，他只要能學會洞房是什麼就好了。」

沙貝兒的臉色由白轉青，就為了趙天源，她吃盡苦頭，這混帳……

她走過去在他屁股上踢了一記。

趙天源趴在地上，啃了一嘴泥。

「媳婦兒，為什麼踢我？」趙天源又哭了。

「妳若有不滿，找妳爹去，別盡欺負趙兄弟。」穆康不悅地瞪她一眼，然後走過去扶起趙天源。

沙貝兒更委屈了。憑什麼人人都寵趙天源？他是寶，她就是草？

她氣鼓鼓地往前走，幾個堡中人看見她，把各種零食點心往她懷裡送。

沙貝兒在谷裡很受歡迎，一來是她模樣可愛，二來是她和岑爺爺感情好。岑爺爺脾氣古怪，治病都是看心情的，有的人不小心惹了他，休想他施用一回藥，這時只要找沙小姐出馬，保證岑爺爺不只看診，事後還有回診。

大家承了沙貝兒的情，當然要報答她。

被這麼多人哄著，她心情很快又恢復了，拿出一顆雪梨啃了口。真甜。

「傻子，過來。」

趙天源明明才受欺負，但她一喊，他又跑過去。

「媳婦兒，妳叫我？」

「說幾百遍了，不准叫我媳婦兒。」見趙天源縮頭縮腦，似又要掉淚，她才把吃過的雪梨遞給他。「喏，吃吧，很甜的。」

趙天源開心得眼淚都流出來了，媳婦兒果然是心疼他的，有好吃的從來不會忘記他。

他很高興地啃著雪梨，一邊吃、一邊跟在她身後玩。

穆康看得眉頭越皺越緊，沙貝兒這不是擺明了欺負趙天源？

「穆公子，你別誤會。」阿敏突然開口。「二十多年前，有個叫什麼天殘地缺的偶然發現雪堡，見這裡藥材豐美，便起貪心，想據為己有。雪堡中人奮起抵抗，讓他殺傷了不少人，才把他趕走。趙公子的爹娘便是在那時為了保護雪堡過世的，死前向堡主託孤，求堡主善待趙家獨苗，堡主這才將尚未出生的小姐許配給趙公子，並允諾有雪堡一日，必保趙公子無失。」

「既然趙兄弟爹娘對雪堡有大恩，何以你們竟是如此報恩？」

「穆公子不知，當年我們只是趕走敵人，並無力剷除他，後來他仗著功力高深、來去無影，在谷中作怪，弄得人人吃喝都不得安寧。我們過了十年這樣的日子，也就是那時養成的習慣，趙公子的吃喝用度都有人事先替他品嚐，確定無礙，才讓他接觸。」

原來沙貝兒做這些事，有一半是為了保護趙天源……不過穆康認為，她另一半心思是小心眼。

「那什麼天殘地缺的呢？」若惡害尚在，穆康便替他們除害。

「十二年前，他惹了岑爺爺，被岑爺爺殺死了。」自此，雪堡的日子才算平靜下來。

「整整十二年——」太不可思議了。「難道岑爺爺就眼睜睜看著你們受苦而不出手？」

「岑爺爺的個性比較古怪，所以……」惹火岑爺爺，絕對過得比招惹天殘地缺更痛苦，兩權相害取其輕，這種事，誰都知道怎麼選。

穆康無比同情雪堡居民。

他走到沙貝兒和趙天源身邊，她正把含了一口的松子糖送到他嘴邊……這也太噁心了吧？

他給了他們一顆解毒丹。「這雖然不是我師父煉的九轉還魂丹，能生死人、肉白骨、壽百年——」可以聽得出來，他對師父的崇拜有如山高海深。「但對防止一般小毒還是不錯的，吃一顆可以抵一年，你們就不必再分著吃東西了。」

但沙貝兒和趙天源根本不領情。

「那樣我怎麼吃得遍集市所有東西？」好東西就是要每樣吃一口，如此才過癮。

「不分著吃東西，我就吃不到媳婦兒的口水——啊！」趙天源又被一腳踹出去了。其實他也有聰明的時候，不過他的聰明總是用在不對的地方。

穆康只覺自己好傻，人家小倆口有情有趣，他管哪門子閒事？

一夥人逛啊逛的，來到一個木雕攤販前。

沙貝兒一眼就看見一只黃牛耕田的木雕，牛的眼睛是深茶色的，和穆康的髮色好像。它面朝黃土、背朝天，姿態辛苦卻有認真而不屈的神情，像極了一進苗圃便渾然忘我的穆康。

她偷偷瞄穆康一眼，不知道若將這隻黃牛木雕送給他，他會不會開心？

但穆康根本沒注意她，他看趙天源吃得渾身又是糖汁又是果水，正細心地幫他收拾。

她不覺委屈。穆康為何對趙天源這麼好？而她……她也沒幹什麼事啊，為何他處處針對她？

他到底不喜歡她哪裡？男子漢大丈夫有話就要直說，他老是把話藏心底，連眼神都不給她，算什麼嘛！

她氣得遠遠跑走。

「媳婦兒！」趙天源第一個發現，舉步便追。

「真是個不懂事的丫頭。」穆康招呼阿敏，也跟著跑了過去。

沙貝兒輕功好，趙天源根本追不上她，沒多久，就把人弄不見了。

穆康功夫好，雖沒緊追沙貝兒，倒也將她的行蹤掌握在手中，萬一她出事，他絕對來得及救。

所以他緊跟著趙天源，在他心裡，這天真的憨漢子是比沙貝兒更需要保護的人。

至於阿敏，她連趙天源都跑不過了，還追人咧，只能在一邊急得團團轉。

沙貝兒繞著集市跑了兩圈，跑得汗流浹背，心中的不甘才宣洩完畢。

她又回到木雕攤販前。不知道為什麼，她就是想著這隻耕田的大黃牛，它真的好可愛。

她越看越覺得它和穆康好像，就越喜歡了。

可穆康討厭她，即便她把黃牛買下來送給他，他大概也不會收吧……

她不應該買它，買了也沒用，但又很想要，心裡的慾望無比強烈。

最後，她的理智還是敗北了。

她買下那隻黃牛，請商家細細包好，藏進衣袖裡，絕不讓人發現她花錢買了這種無用玩意兒，尤其是穆康。

她緊捏著木雕，臉熱熱的，胸口也微微發燙。

好奇怪……病了嗎？不太像啊！

但她把木雕捏得越緊，感受就越奇怪，偏偏她還放不下它。

她要找個地方把它藏起來，讓自己每天都能瞧著。

她想著，唇角綻出一抹春風一樣的柔笑，那不是小丫頭的天真笑顏，是大姑娘情竇初開的嬌羞。

※　※　※

三個月後——

沙貝兒和趙天源的治療有了明顯的進步。

比如沙貝兒，她居然開始長高了，這讓她興奮得好幾天都睡不著覺。

她的心願沒有很大，像阿敏那麼高就好了。但她想，至少要長到穆康的胸口，這樣她就可以常常欣賞他寬闊的肩胸，享受一股莫名出現、她卻覺得有些欣喜的安全感。

至於趙天源，他被沙堡主拉去祭拜先父母了，因為他居然能把千字文背完了。趙家祖先保佑啊！

「應該是木頭保佑吧！」沙貝兒給穆康取了個綽號叫木頭。很像，不是嗎？做事一把罩，但一板一眼、毫無樂趣。

那根木頭很偏心，每天都教趙天源讀書識字，一遍不會，就再教一遍，如此反覆，趙天源就算真是傻子，也該記住了。

她覺得木頭重男輕女的念頭一定很嚴重，聽，他稱呼趙天源為趙兄弟，至於她……

「丫頭，待會兒趙兄弟要去買些筆墨紙硯，妳去不去？」聽聽，好像她是那種無關緊要、愛哭愛跟的不懂事小女孩。

淚水在沙貝兒眼裡打轉。她不懂，為什麼穆康就是不喜歡她？

她早就忘記她與穆康間的恩怨，但穆康總記得她的缺點，緊捏著不放，他——好吧，其實他也不是太愛記恨的人，所以他不會事事針對她，除非她又對趙天源無禮。

趙天源是救他免於出糗的大恩人，穆康行事一向點滴之恩、湧泉以報，因此他很討厭沙貝兒對趙天源頤指氣使，叫他「傻子」，把他耍得團團轉。

趙天源是他的好兄弟，欺負他的兄弟，就是欺負他，如此一來，他怎麼可能給沙貝兒好臉色看？

「小姐，我們要去嗎？」阿敏小聲問。

「當然去！」她才不想放棄跟穆康相處的機會。

真是奇怪，明明他老欺負她，為何她對他就是有一股依戀？

難不成她喜歡被虐？想到這裡，她打了個寒顫。

她是絕對正常的，不喜歡挨白眼，可是……她依舊大步跟在穆康身後，不停地在心裡告訴自己，若要討穆康歡心，就得壓抑自己的脾氣，她一定要變成一個溫柔婉約的千金小姐，他才會對她笑。

阿敏本來也要跟，可被沙貝兒阻止。「這幾天岑爺爺的病況似乎有些反覆，妳去看著他，若是岑爺爺醒了，立刻來通知我。」

「知道了。」阿敏轉身跑走。

沙貝兒繼續她的跟蹤大業。穆康正在跟趙天源介紹兔毫筆跟狼毫筆的不同，趙天源根本聽不懂，但穆康很有耐心。他做事總是這樣，從不懂放棄為何物。

她有一點佩服他，這年頭能這麼有耐心又執著的人不多了。

可惜他教導趙天源，就像是對牛彈琴，趙天源對聽不懂的事根本沒興趣，轉身便跑出去玩了。

沙貝兒應該要跟著趙天源的，那傢伙別的不行，闖禍特別厲害，但她捨不得離開穆康，他認真挑選筆墨紙硯的神情好好看。

她發現，自己越來越常看著他，看到發呆。

他終於選好了東西，正想挑錢付帳，忽然趙天源發出驚呼。

「啊！」

穆康和沙貝兒同時衝出店門。若論武功，穆康勝她不止十籌，但比輕功，從小逃跑經驗豐富的她絕不是蓋的。

他們順著趙天源的驚呼來到一座廢井邊，就見他半個人已經摔進裡頭了，幾個聞聲而來的雪堡居民正在找繩子，準備把他拉上來。

但那井緣早已腐朽，等不及眾人找到繩子，趙天源的身子已經掉向井中。

「捉住我的手！」沙貝兒想也不想地直接撲了過去。

穆康晚了一步，就見他倆快速地往廢井裡滑落。

「你們兩個千萬別再動彈，保持冷靜，很快就會有人拿繩子把你們拖上來！」他盡力安撫他們。

但趙天源根本聽不懂，他看著沙貝兒，又開始哭鬧了。

「媳婦兒，我好害怕，我以為死定了……」

「傻子，閉嘴！」沙貝兒最討厭男人哭哭啼啼了。

趙天源只好停止號哭，轉而抽噎地拉著她的手。

但井緣的崩潰越來越嚴重，穆康不禁擔憂。「繩子呢？難道整座雪堡連條繩子都找不到？」

「來了、來了……」一名七旬老翁抱著一捆麻繩遠遠跑來。

穆康趕緊過去接了麻繩，就要去救人。

但說時遲那時快，破爛的井緣忽然整個坍塌了。

眼看著沙貝兒和趙天源就要一起被拖入廢井裡，突然，她右手一用力，將趙天源甩了上來，而她自己則瞬間跌入井中。

「ㄚ頭！」穆康大驚，及時抱住趙天源，一施巧力便讓他遠遠地遠離危險，然後他一手拉著繩子，緊跟著跳入廢井裡。

這時，他已經顧不得自己的安危了，只知道不能讓沙貝兒出事。那任性、刁蠻、又有點點可愛的ㄚ頭，她才多大，哪能這麼快進閻王殿？

他的心隱隱揪著，向天祈禱，她千萬、千萬別出事。

「穆大夫！」很多人大喊。現在雪堡裡除了堡主和小姐外，他的人緣最好，見他遇險，眾人還不心急如焚？

一時間，半座雪堡都被驚動了，幾十個年輕人被派過來，就算挖也要把沙貝兒和穆康挖出來。

沙貝兒落入井後，並未溺水，因這口井已乾枯，但不知荒廢多久，瀰漫著令人作嘔的惡臭，她只聞了一下，就忍不住吐了出來。

這時，上頭腐朽的井緣已全數崩毀，各式沙石、泥磚不停地往下落，砸得她又疼又狼狽，忍不住大叫。

但這都還好，也不知道是哪個誰在廢井邊緣釘了根大鐵釘，沙貝兒落下時，手臂就從釘子上劃過去，撕開了一條傷口，鮮血正汩汩往外流。

她一手按著傷，完全不敢看傷到什麼程度。她怕血。

「笨傻子、爛傻子、臭傻子，碰到你我就倒楣……」她吸吸鼻子，卻沒哭，從小到大這種事遇多了，也有一點習慣了。

誰讓全雪堡的人都欠趙天源爹娘恩情呢？有恩必還，這一點她還是明白的，不過為了報恩便得以身相許，她打死不做這種事。

她把趙天源當兄弟，她可以替他死，但絕不會嫁給他，因為她根本不喜歡他，她喜歡的是……

她是摔傷腦子了嗎？為什麼心裡突然浮起穆康的身影？

那像山一樣高壯的男人，會很認真地照顧苗圃，對趙天源笑得好溫柔，好有耐心地教趙天源讀書。

如果有一天，他也能這麼體貼她，該有多好？

但是他不會，他討厭她。這念頭一起，她忍了很久的眼淚終於流了下來。

穆康也是個討厭鬼，既然他這麼不喜歡她，那她也不要喜歡他了，嗚嗚嗚……

她細細的嗚咽像杜鵑啼血一樣，惹人心憐。

「妳怎麼哭了？」這時，穆康已下到井底。「是傷到哪裡了嗎？」

「呸呸呸，本姑娘福大命大，哪有這麼容易受傷？」她死都不讓他知道眼淚是為了他流，否則她多丟臉？

她還不明白這種乍喜還憂的感情是什麼，她只知道在他面前，她要表現得最好，要他看得起她，要他欣賞她。

她曉得這很難，但她一定要做到。

「我很好。那個傻子沒事吧？」

如果不是親眼看見她捨身救人，他不會相信這張口沒好話的女人有副好心腸。但她為什麼就不能修點口德呢？

「趙兄弟無恙。」他說。「既然這裡沒水，以我的功力應該上得去才是，我帶妳一把吧！」至於右手上的繩子是白搭了。

「原來你不會游泳啊？我們雪堡的三歲小孩都比你強。」她笑道：「下回叫他們教你，多喝幾口水，保證你游得比魚還快。」

「那就謝啦！」他嘆息，對她那張嘴已經不抱希望了。「來吧！我揹妳上去。」

「你要揹我？」她可以趴在他那副寬闊的肩膀上，讓他揹著走？喔，老天，她的心跳得好快，腦子要暈了。

「妳怕我摔著妳嗎？放心，我的輕功雖然沒妳厲害，也不至如此不濟。」

摔一百次她也不怕，她只是覺得……只要一靠近他，她就變得好緊張。為什麼會這樣？她一向天不怕、地不怕的，偏偏對他，所有的感受就是特別。

他伸手拉她的手，就想把她負到背上。

「唉喲！」她吃痛地悶哼一聲。他碰到她手臂上那條傷口了。

「莫非……妳受傷了？」說著，他就要檢查她的手臂。

「沒事啦！就小小擦破一點皮而已。」她其實也不知道傷得怎麼樣，又不敢看。

不過她摀住傷口的手已經全濕了，不曉得是血還是汗？但願是後者。

「我還是幫妳檢查一下比較安心。」

「上去再檢查啦！」她怕在這裡看到血就直接暈了，那多糗？上頭人多、又明亮，可以給她一點勇氣，任她再怕也不致昏迷。

在他面前，她總想表現出最好的一面，雖然往往失敗，但她確實很努力。

他也拿她沒轍，只得揹了她，先上去再說。

當上頭的居然看到他們出現，高興得不斷歡呼。

只有趙天源一見到沙貝兒便倒頭昏了過去。天啊！她半個身子都給血染紅了，這還有命在嗎？

「丫頭?!」

該死，她受了傷，居然還在逞強！

穆康看著她身上那片豔豔鮮紅，不知為何有股心痛的滋味——

第四章

趙天源昏倒後，眾人又是一陣慌亂，只有沙貝兒冷靜地叫人把他抬回祠堂——這回他亂跑，差點把小命玩掉，不跪上三天，她的名字倒過來寫。

穆康看她指揮若定倒有點訝異，原來這丫頭不是只會使刁耍賴。

他一直站在她身邊看護著，先幫她截脈止血、包紮傷口，略做處理後，才道：「我身上沒有足夠的藥物，無法替妳完整治療，剩下的得回堡裡再做。」

她聽完點點頭，讓那些年輕人把廢井填起來，別再讓人掉下去。至於其他看熱鬧的，該幹啥的就幹啥去吧！

等到所有人都離開了，只剩下她與穆康，她鎮定的神情突然變得一片木然。

「喂，接下來你若看到什麼不應該發生的事，得把它們統統忘掉，聽見沒有？」她咬著牙說，其實整個意外之中最害怕的是她，那雙腳早就軟得跟棉花沒兩樣了。

「什麼？」

「我是說，不管你接下來看到什麼，立刻忘記，否則殺你全家……」不行，撐不住了，她的身子開始搖晃。

「喂，妳的樣子不太對勁，妳——」

他還沒說完，砰，她整個人便倒了下去，幸虧他眼明手快扶得及時，否則她是傷上加傷了。

穆康見她嬌顏慘白，愣了下才反應過來。

敢情她早就怕得快昏倒了，卻好面子地強撐著……拜託，像她這樣逞強的姑娘，他還真是頭一回見。

他立刻把她抱起來，跑回雪堡。

她的身子很輕，因為神仙配的關係，尚未發育完全，像稚嫩的、含苞欲放的桃花——不對，她應該是仙人掌，桃花沒有刺，不像她，明明身子裡藏了一顆柔軟的心，卻總是嘴利如刀，處處不饒人。

但避開了刺，那份溫柔又美麗得醉人。

穆康回想她撲向廢井救人的情況，心微微一縮。

誰說她對趙天源不好，鎮日欺負他？關鍵時，她可以為他付出性命。

這丫頭只是脾氣彆扭，外表好強、死不服輸，其實她很嬌柔、很需要保護，不是嗎？

他想像天殘地缺大鬧雪堡的那段時間，她一個娃兒卻得日夜保護傻傻的趙天源，讓他安全健康地長這麼大，付出的心血有多少？

穆康反省自己，他是不是被某些外在的假象蒙蔽了心靈？所以才會一直忽視她的美好。

他送她進閨房，她身上的血染在他掌間，早就乾了，散發著一股難聞的腥味。這並不溫暖，可是他的心卻咚咚、咚咚的，失序地跳動著。

沙堡主和夫人都來了，他們見女兒直的出門，卻橫著被抬進來，嚇得臉都白了。

但聽完穆康的解釋，他們卻說沙貝兒做得好，沒讓沙家人成為忘恩負義之徒，不過趙天源玩出禍事，該跪祠堂還是要跪的。

對。

穆康佩服他們一家子的重情重義，他自己也是這樣的人，應該和他們很契合才對。

但不知道為什麼，他卻是為沙貝兒心疼。

如果趙天源是這樣會闖禍的人，那與他青梅竹馬一起長大的沙貝兒，曾替他擋了多少麻煩與災禍？

她嘴裡雖然總是「傻子、傻子」地喊趙天源，但事實上，她從沒疏忽自己的責任吧？

不，也許她已經不把保護趙天源視為責任了，她當趙天源是哥哥，親人間互相幫助、彼此依靠，天經地義。

所以她叫趙天源「傻子」，也不單純是諷刺，就只是普通的綽號，就像堡中也有人喜歡喊孩子狗蛋、龜孫，是一樣的道理。他們相信小孩有個平凡賤名，才能健康長大。

因此一直以來，他是不是都誤會沙貝兒了？她並不是那麼刁蠻和自私，只是一個不懂得表達真心的彆扭姑娘。

穆康一邊安慰沙堡主和夫人，一邊重新替沙貝兒換藥。

剛才緊急處理傷口，沒檢查仔細，現在一看，那道將近四寸的傷口蜿蜒過她的左臂，要是刺得再深一些，她的手豈不要被刺穿？

他的心頓時疼了起來。這麼嚴重的傷，她一定很痛吧？

沙夫人嚎啕大哭，她哪裡見過這麼恐怖的傷口？

「穆大夫，我女兒……她的手不會有事吧？」沙堡主怕沙貝兒一隻手臂就這麼廢了。

「放心。」穆康取出藥箱，拿出針線和三瓶藥膏。「我會治好她的，而且一點疤痕也不留。」她今天的表現真讓他欣賞，他決定了，要用最好的藥、最好的方法，讓她不受痛苦地痊癒。

他先截了她的昏穴，以免縫合傷口時讓她吃苦頭。

但當他第一針下去——

「啊！」沙夫人倒頭便暈了。

穆康看向沙堡主，也是雙腿發軟、臉色青白。

很顯然，這一家人都有怕血的毛病，不過程度輕重罷了。

為免他們在這裡礙手礙腳，穆康好話說盡，終於把他們都哄出去了。

然後，他開始為沙貝兒縫合傷口。不知道怕血這毛病是不是會傳染，他一針下去，居然也是一陣頭暈心悸。

針刺入她的手臂，怎麼彷彿刺在他的心上一樣？

他的身體清楚地感受她的疼痛，不知不覺，他的目光溫柔了。

為了不在她手臂上留下疤痕，他縫得非常仔細，四寸長的傷，他縫了半個時辰。

期間，她一度差點痛醒，額頭滲出一片細密的汗。

「放心吧，很快就好了。」他不停地安慰她，又一次點住她的昏穴。

其實點穴止痛並不好，他師父有味藥，可以徹底麻醉一個人，就算將其開膛破肚也不感覺疼痛，但那藥太難煉，他又一直仗著自己皮粗肉厚，不怕疼痛，便將藥方丟著，從來不碰。

可這回見沙貝兒疼成這樣，他發誓，就算是太上老君的九轉金丹，他也要試著煉出來，再不讓她受這種苦。

傷口縫完，穆康又為她上藥、包紮，並命僕人取來熱水，親手為她拭去頭臉泥灰，才伺候她在床上睡下。

期間，阿敏來問：「穆大夫，你忙了一天也累了，要不要去休息，小姐由我來顧就好，若有反覆，我立刻去叫你。」

穆康搖頭。「她傷勢過重又流血過多，半夜一定會發燒，我得親自瞧著，隨時幫她診治才行。」

阿敏暗想，客房離小姐閨房也不遠，跑快一點，不過半炷香時間，差這一些時候嗎？

她發現，自從穆康抱著小姐回來後，態度似乎有些改變了。本來當她是刁蠻千金，避之唯恐不及，現在他神情溫柔，對小姐也關懷備至起來。

真不知今天到底發生什麼事，一切改變如此之大，教阿敏非常好奇。

「對了，趙兄弟在祠堂跪著，可有人給他送飯？」穆康問。

「剛剛才送去，但他說小姐沒醒之前，他都不吃飯了。趙公子平時最好吃的，想不到這回如此堅決。」

穆康卻知道，這是因為趙天源太關心沙貝兒了，才會做出這種事。

可惜落花有意隨流水、流水無心戀落花。

這樣一對未婚夫妻，真能有美好未來？他不知道。

但不曉得為什麼，穆康看著床上昏睡的沙貝兒，心卻有些酸澀。

✽ ✽ ✽

公雞晨鳴之際，沙貝兒終於清醒，卻嚇得差點從床上跌下來。

穆康趕緊把她扶起來。「妳做什麼？」這野丫頭，真是一刻也讓人不放心。

但她很難不驚訝啊，哪個大姑娘一覺睡醒，卻發現身邊站著個大男人，以那溫柔又關懷的目光凝視自己，她沒嚇到把舌頭吞進肚子裡已經算了不起了。

「你你你——」

「妳想問我為什麼在這裡？」

她點頭，男女授受不親，不是嗎？他怎能隨意在她閨房留宿？

「妳昨天傷得頗重，燒了半夜，所以我才留下來看護妳。」他邊說，一邊牽起她的手號脈。

他的手好大，襯著她的柔荑分外嬌小，就跟大人和小孩一樣。

她的心底在流淚。都治療這麼久了，為何她的身子還是不見成長——嗯，其實是有，可長得也太慢了，她好想快快長大，成為一個可以和他匹配的大姑娘。

「木頭，」她突然問：「有沒有哪種藥吃了，可以讓人迅速長高的？」

「有。」這丫頭腦子都是亂七八糟的想法，讓他忍不住想挫挫她。「魂飛魄散不只可以令人長高，還能長胖，一直膨脹下去，直到整個身子炸成碎屑為止。」

她打個哆嗦，這世上的怪藥也太多了。

穆康放開她的手腕，又檢查她的傷口，滿意地點頭。

「嗯，恢復得不錯。記住，別隨便碰水，保妳三個月內痊癒，連一點疤都不留。」

「不會留疤？」她太開心了，忍不住撲向他。「木頭，你實在是太厲害了，你絕對是天下第一神醫！」

他接住她柔軟的身子，那股帶著藥味的香氣震懾了他的心弦。

為什麼會這樣？為何摟著她，他居然感到一種安心、放鬆的幸福？

他很錯愕，她是有未婚夫的，他應該推開她，但他的手一碰到她的肩膀後，便動不了了。

她在他懷裡笑得好開心，像隻正在歡鳴的百靈鳥。

他的心湖起了漣漪，不知不覺間，有了沙貝兒的身影。

但怎麼可以？她是趙兄弟的未婚妻啊！

他咬緊牙，幾乎是用盡全身的力氣才推開她，同時又後退三步。

沙貝兒不明白，他的態度怎麼突然變了？剛才他們還一起笑得很快樂啊，可轉瞬間，他又把她當成了陌生人……

是她得罪他了，還是他討厭她的親近？她不懂他突然的改變，一顆心沈甸甸的，從未經歷過的空虛霎時佔據心底。

「那個……」他刻意別開頭，不看她。「阿敏告訴我，趙兄弟跪在祠堂裡說了，妳不清醒，他就不吃東西。他已經餓了快一天，妳若無事，就去看看他吧！」話落，他便轉身離去。

她的心裡像有什麼東西被他帶走了，教她失落又慶幸。

失落的是，從此她的心便少了一部分。

慶幸的是，那一部分是跟在穆康身邊。

她對穆康的要求不多，只想多跟他在一起，多瞧瞧他的笑，多聽聽他的聲音，這樣太貪心了嗎？

她不知道，但他待趙天源的手足之情就是那樣的溫柔而誠摯，她希望變成趙天源，這樣他就會對她很好了……

沙貝兒不想承認，但她確實嫉妒穆康對趙天源的呵護。

「我只要他一點點的注意力而已啊……」她好沮喪，走過去移開床頭的木櫃，櫃子裡有一尊木刻黃牛，那深茶色的眼像他的髮色，神情認真、敦厚而強壯，她真的好喜歡。

她偷偷地將這黃牛也取名為木頭，只要沒人在便拿出來看，和它說話，感覺自己好像跟穆康在一起似的。

「你為什麼不理我？」她語帶委屈，可惜黃牛不會回答她。

木雕終究是木雕，不會真的變成穆康。

但至少，木雕不會離開她，而穆康會。

她忍不住眼眶一酸，淚便落了下來。

會不會……穆康永遠都不理她了？她不喜歡那樣，一點都不喜歡。

「穆康，我們到底發生了什麼事？」

她從沒嚐過這種患得患失的滋味，生平頭一回，只覺心煩意亂。

她要怎麼樣才能恢復正常？她思量許久，卻發現很可能一輩子也無法變回原來的她了。

一個人的心裡有了另一個人，除非把心挖掉，否則怎麼消抹他的身影？

穆康方才的失控是因為如此，她此刻的心酸不也是這樣？

「小姐、小姐——」突然，阿敏匆匆忙忙地闖進來。

沙貝兒手忙腳亂地把黃牛藏好。「妳做什麼？進來都不敲門的？」

「對不起。」阿敏先道歉，才說：「我剛才給趙公子送早膳，他又不吃了，說沒見小姐清醒，他無論如何不用膳。」

「這傻子，就會找麻煩——」說歸說，沙貝兒還是迅速跑出閨房。

趙天源是她最討厭的未婚夫，但兩人青梅竹馬一起長大，他仍是她最親近的兄長。

照顧和欺負兄長，不正是身為一個妹妹應盡之責任與義務？所以她對他既講義氣又潑辣，三天兩頭便要整他一回。

這次他亂跑、又害她受傷，她若沒搞得他雞毛鴨血，她就不姓沙！

✾ ✾ ✾

當沙貝兒來到祠堂，發現穆康早就端了清粥小菜過來，正在勸趙天源用早膳。

她以為穆康不喜歡她，不好意思出現，因此躲在門邊偷看他們。

穆康對趙天源說：「其實沙小姐已經沒事，你不必自責了。」

趙天源看著米粥流口水。好餓啊！自己幹麼發那種沒見著沙貝兒清醒就不吃東西的白癡誓言？

可他這次也確實把她害得很慘，沒做點補償，他心裡過意不去。

「穆大哥，其實我真不是故意的。」他知道那裡有廢井，很危險，平常不會去玩的，誰知昨天不小心滑一跤、連滾幾圈，才會弄出這麼大的意外。

「我知道，趙兄弟天性憨實，怎會故意惹禍？」

「但我還是害了媳婦兒……」他越看米粥就越餓，不僅口水流出來，連眼淚鼻涕都一起出來了。

「她也沒怪你啊！」穆康繼續跟他說沙貝兒已經清醒，要他別再虐待自己了。

但趙天源這回卻是吃了秤砣鐵了心，不親眼見著沙貝兒沒事，他寧可餓死也不動箸。

「她怎麼可能不怪我？從小到大，我不曉得害了她多少回，難怪她一見我就討厭……」說著，他又哭了。

「她若真心討厭你，豈會一聽你出事，豁出性命也要救你？」

「她那是為報恩……」趙天源是傻了點，但從小聽聞爹娘事跡長大，對於那些事，心裡還是有底的。

「單純的報恩可以持續二十餘年從不間斷嗎？」他以前也是這麼看待沙貝兒的，但這次意外之後，他終於看出她彆扭外表下的溫柔。

她其實是個很好的姑娘，好到……他一想到她，胸口便微微地暖了。

「不是報恩，那是什麼？」趙天源卻是糊塗了。

「傻瓜，她當你是家人啊！」穆康知道沙貝兒不愛趙天源，可至少，他們之間還有親情。

「家人？」趙天源傻傻地笑。在他想來，相公、娘子便是家人了，原來沙貝兒對他還是有意思的。

「現在你放心了，可以吃飯了吧？」

「不行，我還沒看見媳婦兒。」趙天源對沙貝兒很執著。

「她昨天流了很多血，昏睡一夜又燒了好久，好不容易才清醒，你又要她奔波著來看你，你真忍心？」

「媳婦兒這麼嚴重啊？」

穆康點頭，若非他處理得當，沙貝兒是有可能失血至死。

趙天源吸吸鼻子，又開始哭了。「我真是沒用……若當時我機警點，媳婦兒就不會受傷了。」

「那是意外。」

「但媳婦兒就可以保護我不受傷。」

是啊！現在想想，穆康真佩服沙貝兒的反應，不過……

「趙兄弟，你反應慢是因為你不會武功，倘若你也有一副好身手，當不至如此。」

「我學過武啊！」趙天源發脾氣。「只是一直學不會嘛！」

「當時你智慧未開，所以學什麼都慢，待我幫你恢復健康，你再讀書習武，自然會有大進展。」

「我也可以像媳婦兒跑那麼快？」

「這……」穆康不敢保證。「沙小姐的輕功似乎經過高人指點，非比尋常，不是一般人比得過的。」

「那我能不能打贏你？」

「這……」穆康更為難了，他因天生神力，所學向來以渾厚為主，至於趙天源，他俊秀文弱，怎麼學他的劈天掌？「趙兄弟，我也不知道你將來能學成什麼樣子，但事在人為，我相信只要你肯努力，終有成就。」

「好，那我要學。」文也好、武也罷，他都會努力的。趙天源告訴自己，總有一天，他會好好保護沙貝兒，再不想見她渾身是血的樣子。

「你有此毅力值得慶賀，不如喝碗粥當祝賀吧？」

「好啊！」其實趙天源早就餓得快死掉，不過心裡不安，才堅持著不吃，現在被穆康說活了心思，自然要將肚子填個飽滿。

見他吃東西，穆康也放心了，他起身準備離開，去給沙貝兒換藥。

但趙天源卻拉住他。「穆大哥，我要學東西的事，你別告訴人家喔！」

「為什麼？」

「他們一定會笑話我學不會的。」所以這一次，他要給大家一個驚喜。「穆大哥，你做我老師好不好？」

「我？」他除了醫和武外，什麼也不會啊！

「對，由你教我。」他傻歸傻，還是有感覺的，他知道沙貝兒很欽佩穆康，若能學得穆康的本事，沙貝兒一定也會崇拜自己。

「堡中能人甚多，為何非要跟我學？」

「當然是因為媳婦兒喜歡你啊！所以我就學得跟你一樣，媳婦兒自然也會喜歡我。」沒有人伺候，趙天源吃得渾身都是粥和菜，形容很狼狽，說的事像笑話一樣，眼神卻很認真。

穆康愣了。沙貝兒喜歡他？他一直以為他們是相看兩相厭。

但趙天源絕不會說謊，因此……沙貝兒確實對他另眼相看。

他心裡有幾分高興，又有些愧疚。

那可愛的姑娘戀著自己，他心湖也蕩著那清麗勇敢的身影，但是……她已經有未婚夫了。他看著趙天源，哪怕他生活不能自理、腦子又有些遲鈍，他們之間仍有名分。

那他現在和沙貝兒算什麼？姦夫淫婦？

趙天源是他的好兄弟，他絕不能幹出奪兄弟妻子的惡事。

雖然心口很痛，但為今之計還是只有一條——揮慧劍，斬情絲。

今生，他算是負她，但願有來世，換他細細呵護她，教她一生歡樂、無憂無慮……

第五章

沙貝兒沒把穆康和趙天源的話聽完。

她只聽到趙天源要拜穆康為師，就氣得火冒三千丈了。

「太可惡了！」回到閨房，她連灌了兩杯涼水才消氣。「死傻子，哪裡笨了，連這麼卑鄙的纏人辦法都想得出來！你拜師，那我怎麼辦？」

她作夢也想不到，有一天她得跟一個男人爭奪另一個男人的注意。

偏偏，穆康對趙天源的耐性、體貼還多於她。

「完蛋了，我一點勝算也沒有啊……」她哭吼、悲泣，怎麼辦？難道學趙天源也去拜師？

不行啊，師徒名分有定、難成正果。

那結拜做兄妹？屁啦！這樣更沒搞頭了。

怎麼辦？都說女追男、隔層紗，怎麼輪到她頭上，比隔了兩座山還遠？

「趙天源，我恨你！」她居然輸了，不甘心，真的好不甘心……

哇的一聲，她趴在桌上大哭，眼淚就像泉水一樣地流下。

以後，穆康每天都要跟趙天源在一起，他們是師徒，同進同出，她就變成無關緊要的路人了。

「我不要啦……」她也要跟穆康一塊兒，他們一個威武強壯、一個天真可愛，才是最合適的一對，不是嗎？偏偏中間夾了個趙天源——等一下，她和穆康天生一對？

轟，她的臉突然燒熱了起來。

憶起他的臉紅心跳、靠近他的心慌意亂、糾纏他的不擇手段……她……她的目光轉向床頭木櫃，再度取出那只木刻黃牛，看著它的眼睛，伸手撫摸它，想像手指滑過的是穆康深茶色的髮，她整個人都發軟了。

原來這種莫名其妙的情緒叫喜歡。她喜歡穆康，不知從什麼時候開始，這男人在她心頭烙下了身影。

她每天跟他搗蛋，是想吸引他的心思，她想盡辦法接近他，是一種相思的表現，她真的喜歡上這個人了。

但他不知道……或許，即使他明白了，也不會在乎。

而她的情是她自己的事，與他無關。

她頹然坐在床上，抱著黃牛木雕傻傻地發呆，就連穆康在外頭敲門，她也沒注意到。

穆康敲了好久，直到年久失修的鎖頭壽終正寢，門板緩緩敞了開來。

他嚇一跳，但沙貝兒卻比他更受驚嚇，整個人都跳起來了。

「你怎麼可以破門而入？」她趕緊把黃牛藏在身後，但這樣顯得自己更怪異，她尷尬至極，忍不住便要發脾氣。「你不是最講究禮義廉恥，怎麼——」說到一半，又趕緊咬住舌頭。

幸虧她還記得他討厭她耍小性子，為了不讓他對她更反感，她努力改變自己的脾氣。

可有時候急起來，她就忘了，不小心又犯了。

她既難堪又委屈，為什麼自己如此倒楣，什麼難看的畫面都讓他瞧見了，難怪他不喜歡她。

「我——」穆康滿心歉意。「對不起，我問了阿敏，知道妳在房裡，便想來替妳換藥。我有敲門，而且敲了很久，可是……」他不知自己的力氣大到把門鎖敲壞。

這時，沙貝兒的眼淚已像斷線的珍珠，滴滴答答地落下。

「沙小姐，我真的不是故意的。」穆康站在門口，進也不是、退也不是，只能看著她哭，心痛得要死。

「你轉過身去啦！」她抽噎著說。

「那……要不我等會兒再來……」

她急道：「不要！」他這一走，她又要等多久才能再見他？「你就轉身嘛，我收拾一下，很快就好，你你你……不要走好不好？」

那溫婉的語調像針一樣，細細地扎進了穆康的心頭。

一瞬間，他有股衝動，想進房緊緊抱住她，小心地拭去她臉上的淚痕。

「好。」他說，轉身而立。

沙貝兒趕緊把黃牛藏進櫃子裡。

「好了，你可以進來了。」她說。

「好了？」他吃驚。這也太快了吧？

她本來就沒有什麼不可對人說的事情，唯一的……她目光悄悄轉向床頭木櫃，那是她最大的秘密，也是最珍貴的。

穆康提了藥箱步入閨房，再度道歉。

「沒關係啦，什麼東西用久了不會壞，再換新的就好。」她說。

「若沙小姐不嫌棄，穆康還會修點東西，倒可以為小姐效勞。」

「好啊，那就交給你了。」她點頭點到一半，好像又覺得有什麼地方不對勁，想了想，卻沒有線索。

「小姐今天覺得怎麼樣？手還痛不——」

「等一下。」她終於察覺到不對勁了。「你為什麼叫我沙小姐？你不是都喊我丫頭嗎？」而且他對她的態度也變了，變溫和、變有禮、變親切……卻疏遠了，為什麼？

「妳會一天天長大，我再喊你丫頭，豈不失禮？」叫「小姐」可以為他的心裝上一把鎖，告訴自己，她是趙天源的未婚妻，不是他可以妄想的對象。

「那我們都認識如此久了，你還喊『小姐』豈不太生疏？」

他想了一下。「沙姑娘？」

「貝兒。」她渴望的眼神望著他。如果他不再認為她是個沒教養的野丫頭，也不厭惡她，那麼，她可不可以貪心一點，只求一絲絲溫情，慰藉心底已酸得發苦的相思。

他現在相信趙天源的話了，沙貝兒喜歡他——不，她愛上他了。

但他的心更痛。他們兩情相悅，偏偏她有未婚夫。

還君明珠雙淚垂、恨不相逢未嫁時。他心裡突然浮現這兩句話。

「不如我叫妳沙妹妹吧？」他說，心在同時彷彿也被割了一半。

「你——」她氣得在房裡團團轉。做他妹妹有什麼用？她又不要他的親情，她渴望的是愛情！

妹妹只能看著他娶妻生子，將來——慢著，有一首詩好像是這樣寫的：三日入廚下，洗手作羹湯，未諳姑食性，先遣小姑嚐。

由此可見，「小姑」是非常了不起的。

只要「小姑」不爽了，穆家未來新婦還能有好日子過嗎？

而且先做他妹妹，可以找理由接近他，把他身邊的雜草野花斬得乾乾淨淨，她就不信憑自己的手段，還能讓別的女人搶走他。

沒錯！直著追求他不行，就拐著彎來。那句話是怎麼說的？「山不來就我，我便去就山」她決定了，就做他妹妹！

「妳在說什麼山山水水的？」他沒聽清楚她的自言自語，卻記著一件事。「妳這傷暫時可不能碰水，否則留下傷疤，妳後悔莫及。」

「我知道。」她這麼喜歡他，怎麼可能讓他瞧見她不完美的一面。「不過……你叫我什麼？」

「我叫妳什麼？」她今天古裡古怪的，搞得他頭都暈了。

「你說要叫我沙妹妹的，你說話不算話。」

原來是為了這回事。他彎腰拱手，作了個揖。「沙妹妹。如此可好？」

「這還差不多。」她拉著他坐到床邊，自己則緊緊偎在他身畔。「來吧！換藥手法快一點，千萬別讓我覺得痛喔！」

「沙妹妹……」他們靠太近了，教他有點不自在。「這……男女授受不親……」

「你都叫我妹妹、做我兄長了，還男女呢！」她毫不在乎地更貼近他些許，聞到他身上青草混著泥土的清爽氣息，心裡好幸福。「快一點啦！別婆婆媽媽的，你是哥哥，不是姊姊耶！」

「可是……」軟玉溫香在側，他臉紅心跳啊！

「喂，你到底換不換藥？萬一我的手斷了，你可得養我一輩子喔！」

「這自然是要換藥的，可是……」他一直往旁邊退，而她不停靠過來，幾乎半個身子都在他懷裡了。

他緊張得要命，哪裡還記得換藥的程序？

可她樂得心花朵朵開，早知道做妹妹的好處這麼大，八百年前便求他做她兄長了。

不過這兄妹之名絕不能做實，只能私下佔佔他便宜，否則人人當她是他妹妹，她哪裡還有機會再攀上穆夫人寶座？

✽　✽　✽

半年後。

如今已不能叫趙天源傻子了。

他雖然沒學成穆康的劈天掌，但一些小巧功夫，諸如長拳、鞭腿、凌空掌，他倒是都能使上一遍。

至於真正對敵，現在雪堡沒敵人，暫時看不出威力。

他也讀了《論語》、《百家姓》、《千字文》……四書五經沒學全，但吟兩句歪詩已不成問題。

趙天源的進步教人刮目相看，但這也是因為他夠努力，最近六個月不是習文、就是練武，連最愛逛的集市都不去了，他比人家要去考狀元的還認真。

而這全是為了沙貝兒。他是真心喜歡這青梅竹馬的小未婚妻。

至於沙貝兒，她長高了一寸，可愛而略帶稚氣的五官也漸漸變得成熟了。

但有一點點遺憾的是，清麗眉目成熟後，透出的是勃勃英氣，一股江湖俠女的味道。

沙貝兒為此嘔得三天吃不下飯。為什麼？為什麼？為什麼？不都說女大十八變嗎？她小時候天真可愛，少女時期清麗如仙，長大後居然……嗚，不要！她要變成嬌豔大美人，正好匹配威武雄壯的穆康。

結果她英氣、他英明，這畫面有什麼好看的?!

趙天源想要安慰她，可口才開——

「閉嘴。」沙貝兒喝道：「長得比我漂亮的人沒資格說話。」

這也是一個奇蹟，趙天源靈智開啟後，本就俊秀的臉添了一抹溫文，風雅翩翩，竟有一股謫仙神采。

「沙妹妹。」穆康開口就不一樣了，沙貝兒立刻用小狗般的孺慕眼神看著他。

倘若他真不喜歡她現在的模樣，她就去學易容，一定將自己整得花容月貌，宛若仙子下凡。

趙天源的眼神黯了下。他已經不是原本的傻子了，經過穆康的治療，和自己的努力學習，他懂了很多事，自然也看出沙貝兒對穆康的情愫。

但穆康於他有重生大恩，況且穆康為人正義凜然，他不信他會做出搶人未婚妻的事。

二來，沙家人素重然諾，斷不會輕易毀婚，讓沙貝兒再嫁。

所以他對自己很有信心，一定可以抱得美人歸。

只是……心也真的有點酸，他與沙貝兒青梅竹馬一起長大，感情怎會不及和她相處不到一年的穆康？

是他不夠好嗎？還是他們沒有緣？

不可能。他現在不好，只要努力，終有一天，他一定能勝過穆康。

至於緣分，能做二十餘年的未婚夫妻，還會無緣嗎？

他和沙貝兒絕對可以成就良緣的。他告訴自己放開胸懷，斤斤計較不是大男人作風。

穆康給沙貝兒看得渾身都起雞皮疙瘩了。「妳別這樣看著我，我只想告訴妳，各花入各眼，不管什麼長相的人，都會有人喜歡的。」

「那你喜歡什麼樣的？」沙貝兒問。這才是重點。

「我……」他愛她彆扭多情、刁蠻溫柔卻又任性體貼，他喜歡她多變又矛盾的樣貌，但是……他不能喜歡她。「不知道，我從沒想過這種事。」

「你三十好幾了耶，難道想打一輩子光棍？」

「師父的本領我尚學不到六成，哪裡有空想其他東西？」

「所以你一輩子只要習醫就好？」啊！沙貝兒想翻倒桌子。這樣她還有什麼希望?!

「至少要學到能治好師父。」他不希望卓不凡一生只能困在槐樹村，日日以萬年石鐘乳為食，人不人、鬼不鬼地活著，醫聖如今落得如此下場，教人如何忍心？

「令師尊也病了？」趙天源想，再厲害的大夫也過不了生死一關。想那岑爺爺，病倒昏迷至今都有一年了，若非穆康強行用藥吊住他一口氣，只怕早死了。不過再厲害的藥也有極限，加上岑爺爺年紀大了，勉強活著，還能再撐幾年？

「我師父不是生病，是受傷，很嚴重的傷。」穆康說。

「那他現在還能走動嗎？」

「當然可以。」否則卓不凡怎麼收一堆徒弟，賺取大把銀兩給自己買藥吃？不過醫聖的正式弟子只有四人，一斛珠、十兩金、銀元寶和三塊玉。

「那還好一點。」若像岑爺爺那般只能躺著喘氣，就真是生不如死了。

趙天源與岑爺爺沒有那樣深厚的感情，因此對於長達一年的日日照顧，而且還要持續下去，不知何時是盡頭，感到有些不耐。

在穆康看來，人生際遇很難說，什麼時候會遇到什麼意外、能不能過去，都是未知，做人也只能在眼前時刻多加努力，待到雙眼閉上的瞬間，但願不悔。

不過他情不自禁地瞥向沙貝兒，見她眼珠滴溜溜地轉，不知道在想什麼，那嬌俏模樣撩撥得他心弦震盪。

他知道，這輩子他是注定要帶著後悔了。

「如果岑爺爺能夠醒過來，憑他的醫術再加上你師父的本領，」沙貝兒說道：「木頭，你覺得這一加一的成果，有沒有可能讓他們兩人都痊癒？」

「啊！」穆康欣喜得說不出話。他從沒想過這個問題，但就算那可能只有萬分之一，他也想賭一賭。

「你有辦法讓岑爺爺醒過來嗎？」沙貝兒問。

「媳婦兒，岑爺爺都這麼老了，哪裡——」

趙天源沒說完，穆康便截口道：「有一個方法也許可以試上一試。」

「什麼方法？」

「百草蔘。」穆康最先想取它，就是為了卓不凡，它是聚元養氣聖品，不過一般人取不到它，也不懂得使用。

後來他在雪堡住下來，幫忙照顧苗圃，也是見這裡奇藥豐富，若能大量栽培，於師父必有益處。

「別開玩笑了！」趙天源一聽百草蔘，就想昏倒。「每年有多少採蔘人在百花谷栽跟斗，你們還想去冒險，就這麼想死嗎？」

「我們這是為了救人。」沙貝兒與岑爺爺感情好，自然樂意為他付出。

「救人?!」趙天源斥道：「雪堡外的百花谷有多危險，堡中無人不知，你們說救人，難道把自己賠進去，丟掉兩條小命也算救人？」

「不試試怎麼知道？」

「媳婦兒……」趙天源搖頭，嘆口長氣。一直以來，他都覺得她雖衝動，人卻是機靈的，生平頭一回，他發現原來她腦子也不是那麼好。「我知道妳無法接受，但岑爺爺昏迷一年了，他醒不過來了。」

沙貝兒氣個半死。趙天源居然敢用這種口氣跟她講話？別忘了，從小是誰在照顧他？他今天闖禍、明天惹事，成日大小傷不斷，是誰去為他求藥問診？嚴格說來，岑爺爺也是他的救命恩人。

她覺得趙天源變了，自從他變聰明、讀很多書、會講道理後，那些忠厚憨實的氣質便消失了。

大家都說趙天源現在這樣很好，俊逸機敏，反而是她衝動依舊。而今，曾說她嫁他可惜的人如今反而認為是她高攀了他。

但要沙貝兒說，她寧可要傻子趙天源，雖然她從沒喜歡過他，但起碼他對她百依百順，也不要一個不知感恩、看不起她的優秀男子。

「趙天源，我告訴你——」她一火大，就要動手。

穆康雙掌一翻一拐，將兩人遠遠分開。

「都別吵了。」他說：「這次採蔘，我去就好，你們誰也別跟。」

「不行，我們是好兄妹，怎麼可以沒義氣，讓你一個人去冒險？」

「是啊！穆大哥，採集百草蔘實在太危險，你還是放棄吧！」趙天源雖與他們意見不合，但穆康救他、教他，他心裡也是佩服他的。

「其實一年前，我就做好採蔘的準備了，今朝不過重做一回。」他沒說的是，上回若沒他們搗蛋，也許他早就成功了——當然也可能失敗，但為了師父，不管是哪一種結果，他都接受。

「你們怎麼一個個都這樣？」趙天源氣死了。「生命誠可貴，這道理連我都明白，莫非你們卻不懂？」

沙貝兒倒沒說什麼，只是心裡暗暗計劃。穆康說不給跟，她就不跟嗎？開玩笑，她若如此聽話，就不是沙貝兒了。

「沙妹妹。」穆康再了解她不過，便道：「妳我兄妹相稱，雖未叩拜天地，卻也義勝金蘭，我知妳重情重義，必不會放我單獨冒險，但今日我把話說明，採蔘一事，我早有通盤計劃，妳若跟隨，必有妨礙，屆時，休怪我翻臉。」

沙貝兒憤怒地別開臉。「不跟就不跟，有什麼了不起？」

趙天源卻鬆一口大氣。別怪他無情，媳婦兒畢竟是自家的，只要她沒事，他就放了一大半心了。

穆康看看他，卻是有些失望的。他還記得那個天真無邪的「趙兄弟」，怎麼智慧開了，心思也雜了，不復當初的通透如玉。

真不知如此救他，是好是壞？他也茫然了。

經過一年的相處，唯一沒變的還是只有沙貝兒，她衝動歸衝動，但重情重義的性子卻始終未改。

看她現在咬著指甲沈思的模樣，就知道她又在打什麼主意了。

這丫頭——不，她現在已是個半大姑娘了，五官精緻、英姿勃發，他發現自己無法將她的身影從心上抹除，卻只是更痛。

所以他方才說終生不娶是真的，他不能娶她，又無法愛其他姑娘，唯有孤獨終生，否則又能如何？

這時，沙貝兒眼睛忽地一亮。她已經想到辦法，怎麼樣可以不跟隨穆康去採蔘，卻又能幫助他了。

她爹有一件天蠶甲，冬暖夏涼、刀劍難傷，平常日夜隨身，除非洗澡，從不脫掉，不如今晚……

嘿嘿嘿，抱歉了老爹，先借女兒用幾日，過後必完璧歸「沙」，您可別太生氣啊！頂多她也去祠堂跪幾天嘛！

為了穆康，她當真是費盡心機了。

第六章

沙堡主很生氣。

沙堡主非常生氣。

沙堡主萬分生氣。

因為他洗澡的時候，沙貝兒悄悄跑進來，偷了沙家的傳家寶天蠶甲，並且被當場捉到。

當然，被捉不是重點，重點是，堡主是怎麼捉到女兒的？

人家功夫好，就算在洗澡，也沒放鬆戒心，一發現有人私闖，顧不得渾身是水，飛身逮惡徒。

很好，小偷捉到了，很好，他那時光著身子，很好……嗯，他女兒現在看起來大概像個二十二歲的大姑娘。

所以沙大小姐就被罰跪祠堂了。

「沙、貝、兒——」沙堡主的吼聲幾乎將祠堂屋頂給掀掉。「妳就不能換其他時間來拿東西嗎?!」他沒用「偷」這個字眼，畢竟傳家寶傳的就是子孫，他就沙貝兒一個女兒，日後，天蠶甲也是留給她的，她什麼時候想用，並不是太嚴重的事，他只是痛恨女兒選錯了時機。

「可是阿爹……」沙貝兒也有苦衷。「平常你又不會脫掉天蠶甲，除了洗澡和……難道要我趁你跟娘一起時進去拿嗎？」

聞言，沙堡主一個大男人臉紅得跟猴屁股似的。

「我管妳什麼時候拿天蠶甲?!」從這句話可以聽得出來，沙貝兒的任性有一半是遺傳自老爹。「妳好端端的要它幹什麼？妳又想——」

「沙堡主！」

「沙伯伯！」

這時，穆康和趙天源聽聞沙貝兒失手被逮的消息，不約而同趕來求情了。

沙堡主的臉變得比炭還黑。「不要告訴我，這件事你們兩個也有分。」

「不關他們的事。」重義氣的沙貝兒搶先道：「是我自己愛玩，與其他人都沒有關係。」

「妳當老子是白癡啊！」沙堡主吼。「妳什麼不好玩，玩這個？你們最好老實招出，否則讓我查出來，哼，我讓你們跪一個月祠堂。」

「沙伯伯，這事媳婦兒也是──」

趙天源口才開，沙貝兒便怒道：「姓趙的，你敢說，我與你絕交！」

「別吵了。」穆康自首。「沙堡主，這一切的始作俑者是我。」他把想要採蔘救人的事說了一遍。

趙天源在旁邊補充。「穆大哥不准我們跟他去……其實我早跟他們說過，把目標放在百草蔘上頭太危險，要他們放棄，偏偏他們不肯。沙伯伯，你也勸勸他們，岑爺爺都九十好幾了，就算有百草蔘也不一定救得活啊！何苦為一件沒有把握的事情冒險？」

很奇怪，聽完趙天源的話，沙堡主倒沒那麼生氣了，反而冷靜下來。

「你呢？還要固執下去？」他問穆康。

「人生在世，有所為，有所不為。」岑爺爺和百草蔘可能是他師父最後的希望，他無論如何都要試上一回。

「穆大哥！」趙天源惱怒。

「趙兄弟，咱們做事，不是樣樣都要講利益、求把握的。有時義之所趨，雖九死其猶未悔。」

趙天源氣死了，為什麼這些人的腦袋都如此僵硬？他想起早逝的爹娘，不過學了幾天莊稼把式，遇見天殘地缺也不跑，直接拚命，留下他孤苦伶仃。

他智慧未開時，聽人說往事，只把爹娘當英雄，如今仔細想來，雪堡居民眾多，大家聯合起來，未必敵不過天殘地缺，他爹娘根本不必挺身而出，只要跑回家裡躲好，讓護衛隊去對付敵人，說不定他們現在還活得好好的。

那種衝動之舉根本不是義氣，是笨蛋、是傻瓜、是白癡。

「好了。」沙堡主說道：「這件事我心裡已經有底，你們兩個先出去。」

「沙堡主……」他們還想替可憐兮兮跪在地板上的沙貝兒求情。

「你們不必看她，我罰她不是因為她拿天蠶甲，是她偷看我洗澡。」沙堡主氣鼓鼓地瞪女兒一眼。「告訴妳，沒跪足三天，妳休想起來！」他氣沖沖地走了。

穆康和趙天源卻是急如熱鍋上的螞蟻。

「天哪！跪三天？媳婦兒，妳的腳受得了嗎？」趙天源問。

沙貝兒看都不看他。她早說過，他若把採蔘一事說出來，便與他絕交，她說得出，就絕對做得到。

「媳婦兒，都什麼時候了，妳還跟我嘔氣？」趙天源對她是又氣又憐。「妳還是快想想辦法，有沒有什麼人可以讓沙伯伯消氣，先免了妳的刑罰再說。」

沙貝兒照例不言不語。

趙天源真有些憤怒了，她怎麼這樣不講道理？

「媳婦兒，妳再這樣，我就不理妳了。」

沙貝兒別開頭。她早就不想理他了。

趙天源氣得一甩袖，轉身想走，卻被穆康拉住。

「何苦為了我，傷害你們感情。」他先勸趙天源消氣，才道：「我聽說沙堡主對夫人言聽計從，趙兄弟若能求得夫人諒解，說不定可以幫得了沙妹妹。」

「對啊！沙伯母最疼我了，我去求，她肯定答應。」趙天源得到指點，欣喜地走了。

「哼！」沙貝兒在他背後做鬼臉。「誰要承你的情了，姑奶奶就是想在這裡跪三天，你管得著嗎？」她越來越討厭趙天源一見她就對她指導說教。

難道「相公」都是這樣，以為自己是天，做「娘子」的只能乖乖順從？那麼很抱歉，她做慣天王老子了，再不會做小。

趙天源要找個聽話的娘子，最好別把主意打到她頭上，否則她跑到天涯海角，讓他一輩子也找不到。

不過……她笑嘻嘻地朝穆康招招手。「過來。」

「妳又幹了什麼壞事？」他走上前去，在她額頭輕彈一下。「下回別幹這種事好嗎？偷看堡主洗澡的罪名實在是……」想到沙堡主的臉色，他再也忍不住地笑了出來。

「我哪知道爹反應這樣快，一下子就被逮到。」總之一句話——晦氣。不過也不是沒好處，她從懷裡掏出一件銀白色、半透明狀的軟甲。「喏，你有天蠶甲在身，採蔘應該更有把握了。」

「堡主竟沒將天蠶甲收回去？」

「忘了吧？」她爹太忙著穿衣服了，落下一件天蠶甲，很正常。

穆康想了一下，搖頭。「不！堡主是有心助我一臂之力，才故意留下天蠶甲的。」沙堡主也是義氣中人，念他救人心切卻不好當面出手幫忙，免得趙天源不開心、沙貝兒又學得更野，才用這麼隱晦的手法幫助他。

「我爹會有這種心機？」

「堡主能以一人之力統領眾人生活無虞，豈會一無是處？」

「原來我爹還挺厲害的。」雖然被爹罰跪，但聽人讚美爹爹，她心情還是很愉快。「穆大哥，這是不是代表爹贊成你去採蔘？」

「傻丫頭，堡主若贊成我去採蔘，就大大方方組織居民幫我了，而非暗中相助。」

「為什麼？贊成就贊成、反對就反對，哪來這麼複雜的心思？」

「因為每個人都有不同的想法，所以我們做一件事，要考慮的不只對錯，還有很多其他東西。舉個例子來說好了，外族來犯，皇上御駕親征，聽起來很威風，可妳知道這樣一趟征程所需花費的人力、物力有多少？若是國庫不豐、糧食欠收，那威風就是一種負擔了。」

「所以……」她低下頭，扭著衣角。「我還是太衝動了。」

「是有一些。」他說：「不過妳的出發點是好的，其罪雖重、其情可憫。沙妹妹，此事過後，妳可得好好跟堡主道歉。」

「我知道了。」她笑得很歡快。

為什麼穆康和趙天源說的話本質並沒有太大的不同，只是語氣有所差別，但她聽穆康說話就很愉快。

大概是因為她喜歡他吧，總覺得他說什麼都有道理，她應該聽從。

而且他肯跟她說這麼多，不就代表她在他心裡也是有地位的，他才會關心她、叨唸她嘛！

努力了近一年，終於有了這一點小小、小小的成就，她樂得快要飛上天了，便纏著他，要他去把天蠶甲換起來。

她爹的肚子比那懷孕六月的孕婦還大，穿上天蠶甲一點都不好看，穆康就不同，他生得高大健碩，穿起來一定很威風。

穆康苦笑地連連推託。「這天蠶甲是內甲，怎能隨便穿出來給人看？」

「反正又什麼都看不見，為何不能穿？」就讓她幻想一下他的曲線嘛！寬肩、厚實胸膛、臀部又挺又翹……不管，這麼美麗的景象，她一定要看到。

「你就先試穿一下，若有不合適的地方，還可以請我娘修改，豈非一舉兩得？」

「天蠶甲是任何人都可以穿，不需要改的。」

「萬一壞掉了呢？」她反正是纏到底了。「來嘛，穿啦、穿啦……」

穆康避無可避，幾乎都要縮進地板裡了。

沙貝兒兩隻手在他身上東掏西摸，可把他的豆腐給吃得過癮了。

兩人在祠堂裡鬧得不可開交，卻沒注意到外頭有一道身影隱沒在陰暗處，痛苦又嫉妒地看著他們。

趙天源求不到沙夫人解圍，本想陪著沙貝兒一起挨罰，誰知……

他已經不傻了，他看得出來他們互相有情。

哪怕他真是傻的，他也會在意未婚妻與人打情罵俏啊！

他們為什麼要這樣？他們究竟把他當成什麼了？一個可以隨便欺侮、玩弄的廢物？

他怨恨、憤怒，他想破壞些什麼來宣洩這股火氣。

但他們一個是他的恩人，一個是他的情人，都是他最重視的人，他……到底該怎麼辦？

了不起的，又突然想到，她與穆康沒名沒分，這事情若傳了出去，他以後怎麼在雪堡裡生活？

「娘說的哪裡話？」她改口道：「我只是不喜歡趙天源膽小畏事、斤斤計較罷了！」

「天源素來心細，做事難免謹慎過了頭，哪有妳說得嚴重？」話雖如此，但沙夫人聽過丈夫轉述祠堂那夜發生的事，也覺得他無情了些。

雪堡居民多是性情中人，講究滴水之恩、湧泉相報，岑先生為雪堡付出良多，他們為他拚命也是正當，不能因為他年紀大，或許救不活，就不管他啊！

在這方面，趙天源確實計較太深。

但沙夫人念在他幼時遭劇變，好不容易才恢復健康，偶爾行差踏錯也是可以諒解的，只要好好教導，日後必有出息。

「貝兒，無論如何，妳和天源的婚約是早就定下的，妳就不能試著和他相處看看？也許能培養出感情呢！」

「娘啊，我與他青梅竹馬二十餘年，要有感情，您早就抱孫子了，還用等到現在？」

「妳又沒心上人，爹娘給妳張羅的親事妳也不喜歡，那妳到底想怎樣？」

想等穆康對她動心啊！可惜這事比愚公移山還難。

「我現在只想岑爺爺能好起來，雪堡所有人都平平安安、健健康康，其他什麼都不求了。」尤其是穆康，他一定要沒事才行。

「敢情妳是想當尼姑了？」

「那也沒什麼不好啊！」

「萬一穆大夫不喜歡尼姑，看妳怎麼辦？」

「他敢！我──」話到一半，她噤聲無語。糟糕，被發現了，怎麼辦？沙貝兒急如熱鍋上的螞蟻。「娘，我和他──」

「你們的事，我和妳爹心裡都有數。」而且他們對穆康重義氣、守然諾的性子也很喜歡。「可貝兒，人無信不立，除非天源自動解除婚約，否則……妳還是死心吧！」

沙貝兒才不管那些東西，她只注意聽一句話──天源自動解除婚約。

對啊！她怎就沒想到，她爹娘頑固不通，她可以從趙天源身上下手嘛！

「嘻嘻。」她終於找到和穆康攜手終生的辦法了。

「娘，我出去一下。」她迫不及待想去找趙天源說清楚。

沙夫人拎住她的衣領，她太了解女兒的個性了。

「不准妳去找天源麻煩。」

「我又沒說要去找他。」她去逛街偶然碰到他，不行啊？

她掙脫娘親的束縛，便跑了出去。

「這丫頭……」沙夫人搖頭。明明穆康用藥很有效啊！貝兒個子也長了，身子該發育的也生得玲瓏有致，怎麼就那顆腦袋始終不長進，依舊莽撞衝動？

但她這樣暗中提點女兒，算不算對不起趙天源的爹娘？

她心裡愧疚，可一想到女兒……唉，人總是自私的，她還是希望女兒一輩子開心快樂。

她搖頭嘆氣，出了女兒閨房，這時，沙貝兒也很「湊巧」地遇見趙天源了。

他正在練武，一根銀槍耍得如蛟龍出海、騰風喚雨，銳不可當。

而他學習楊家槍才兩個多月，能有如此成就，想必費了不少苦心。

難怪他智慧漸開後，堡中越來越多姑娘對他另眼相看，如此允文允武俏郎君，哪顆芳心不震動？

當然，沙貝兒除外。感情並不是比較，有時只是看對眼，合了心，便用上了情，她對穆康便是如此。

說來諷刺，她對他一開始的印象是他為她逼出神仙配的藥性，整得她七葷八素，那時，她發誓與他沒完沒了。

後來，他又醫治趙天源，人人都喊他「傻子」，穆康始終一句一句「趙兄弟」地喊他。

沙貝兒聽得出來，他絕不是諷刺趙天源，是真心疼惜這憨傻的小兄弟，所以對他，比對她還要體貼細心。

從此，穆康的身影進駐了沙貝兒心底，她幾度想抹去，但或許是應了誓言，她真與他沒完沒了了……

「趙天源。」她喊。現在不能叫他「傻子」了，否則他會發飆。唉，他越來越難玩了，比以前癡癡呆呆時更加無趣。

「媳婦兒。」他笑得整個人都在發光，顯然非常開心見她來找他。「妳是無聊想逛集市嗎？我陪妳去。」

「穆大哥今天進百花谷耶，我哪裡有心情去逛集市？」

「我知道，我去送過他了。穆大哥準備充分——」話到一半，心裡一股酸意讓他臉色不由得僵凝。沙家人把天蠶甲借給他，只是暫時的權宜之計，還是他們已經有了將傳家寶另傳他人的打算？他們看中穆康做未來女婿了嗎？他這幾天想這些事想得頭都疼了。「妳放心吧！穆大哥不會有事情的。」

「我相信以穆大哥的本事，絕對安全。」這是祈禱、也是信任。

「所以妳今天沒去送他。」趙天源發現他心裡的酸意更甚了。「妳對他就這麼有信心？」

「不是。」昨晚她想過該為穆康送行，誰知太擔心了，眼淚流個不停，一日夜哭下來，她不想出門讓穆康看見自己的醜樣子了。

其實她現在的模樣也沒多好，兩眼腫如核桃，眼眶泛紅，但她不覺得被趙天源看見有什麼不好。相反地，他若嫌棄她，自願解除婚約，她還更高興呢！

「那妳為什麼沒去送穆大哥？」他看著她通紅的眼，心裡有點了悟，嫉妒遂變成了怨恨。

「不想去就不去嘍！」沙貝兒不耐煩地說。「你管我那麼多做啥？」

「我是妳未婚夫，當然要管著妳，否則以妳衝動的脾氣，還不闖大禍？」

「你管我？」沙貝兒大笑。「拜託，從小到大都是我管你、我照顧你的，好不好？」

趙天源臉紅。「那都是以前的事了，從現在起，我會做個稱職的未婚夫，將妳照顧得無微不至。」

她打了個寒顫。「不必了。我最討厭人家管，你喜歡管人，不如去找個樂意讓你管的未婚妻如何？」

聞言，他身如在冰窖。原來她特地來尋，和他語多周旋，目的是誆他解除婚約！沙貝兒啊沙貝兒，她還當他是一年前的傻小子嗎？

他更憤怒的是，為了她，他不眠不休地努力，讓自己變成一個有為青年。現在堡中人見到他，誰不對他豎起大拇指，她到底嫌棄他哪裡，為何就是不喜歡他？

他又該怎麼做，才能挽回她的心？

「如果妳是來談解除婚約一事，」他第一次用如此冷淡強勢的語氣對她說話。「那妳死心吧！除非我死，否則我趙天源今生只會娶妳沙貝兒為妻。」

她打個寒顫，只覺她和趙天源的關係，從此時此刻就要生出變化，再也無法如從前一般親如兄妹了。

「為什麼？」

「因為妳是我命中注定的妻子。」

「所以你相信命更甚於感情？」她好氣又好笑。「以前你不懂，喜歡纏著我玩，別人說我是你媳婦兒，你便相信，從此認定了我，這些我都能理解。但你智慧開後，博聞強識，應該發現了，論容貌，我不是最好的，講個性，你我天差地別，再說平時相處，我們更是三天一小吵、五日一大吵，我們根本不合適，你卻要為了那虛無飄渺的命運娶我為妻，讓我們兩人都痛苦？你到底怎麼想的？」

「妳怎知我對妳沒感情？」他喜歡她好久好久了，也許是自她落地的那一刻，產婆抱她出來，指著娃娃告訴他，這是他未來媳婦，他便把一生的心意都放在她身上了。他是真的很愛她。

「你若對我有感情，為何不放手，要讓大家都痛苦？」

「妳不試著愛我，怎知道將來妳不會愛上我？」他上前，想握她的手，卻被她避開了。「以前我不好，處處讓妳丟臉，妳嫌棄我也是正常。可以後再也不會了，我會變強，變得比穆大哥更厲害，總有一天，我會讓妳以我為榮。」

「不管是以前、還是現在，我都沒有嫌棄過你，我拿你當親哥哥看待，世上有哪個妹妹會瞧不起自己的哥哥？」她第一次如此認真向他表明自己的感情。「我只是無法把你當成一個情人來喜歡，可事實上，我仍敬你如家人。」

「我不要做妳哥哥！」他吼，俊俏容顏一時變得猙獰。「我們明明是未婚夫妻！如果──」他不想戳破她和穆康的事，一個是他的未婚妻、一個是他的恩人，他真的為難。「媳婦兒，我真心喜歡妳，也會對妳好，給妳、也給我一個機會好嗎？」

她搖頭。「對不起，我沒有辦法喜歡自己的『哥哥』。」

「假使是穆康，妳就願意了，是嗎?!」他終於控制不住地吼了出來。「我究竟哪裡比不過他？妳說啊！」

她嚇了一跳，真不曉得為何人人都看穿她喜歡穆康，那穆康知道嗎？他會不會覺得被一個身有婚約的女人喜歡，是一件討厭的事？

她好緊張，已經忘了自己到底為什麼要來找趙天源，她現在只想去尋穆康，請他不要討厭她，就算他不喜歡她也沒關係，她不求嫁他為妻，只求常伴他左右，為奴為僕她也甘願，她……

她的眼淚不覺地流下來。真可惡，她一向最討厭糾纏不清的感情，為什麼對穆康，她卻是怎麼忘也忘不了？

揮劍斷情，說得很容易，可實際上根本做不到——

「唔！」

啪，她用盡全力摑了趙天源一巴掌。這混蛋！竟敢趁她失神時強吻她，想死是吧？

趙天源恨恨地瞪著她。「今天如果是穆康吻妳，妳會打他嗎？」他終於懂了，不管他如何求她、愛她，她也不會回應他，她的心裡只有穆康。

「你不要強辭奪理。」她覺得趙天源變得聰明，卻反而越來越難溝通了。「我打你是因為你做了失禮的事，與穆大哥無關。」

「無關？哼。」他轉身走了出去。這件事他不會善罷甘休的，是他的女人，天王老子也搶不走！

「趙天源，我話還沒說完呢！你給我回來——」沙貝兒追了幾步，卻沒追上他。

他怎麼變得如此激烈？唉，她頭痛得要命。

第七章

百花谷內——

倘若只是採集百草蔘，這事並不困難。

百草蔘又不是傳說中能跑會跳的蔘娃兒，還會使妖法害人，但採集卻非常危險，因為大凡靈物身邊，都有怪獸守護。

過往那些採蔘人折損於百花谷，十有八九就是讓怪獸害了。

但穆康並不害怕怪獸，一來他天生神力，二來他武藝不凡，三來……他摸摸胸口，感受到貼身的天蠶甲，彷彿隨時隨地散發著沙貝兒的溫柔，暖著他的身體和心靈，有她的陪伴，他怕什麼？

他趴在地上，細細地搜尋目標。

一般草藥多是鮮綠，但百花墜落之谷不同，這裡萬物不生、百里蕭條，放眼望去，除了黃沙還是黃沙。

而那百草蔘就跟沙地一般顏色，形如路邊一顆小石，稍不注意，便永遠與它錯過。

所以冬天來尋，比如他第一回探谷，在遍地白雪中尋那蔘草，反而容易。

如今秋末，寒風獵獵、沙石飛揚，反而更難尋到目標。

如果能等到冬天大雪落下之時就好了，可惜岑爺爺狀況越來越差，隨著氣候轉冷，他幾回斷了氣息，若非他救治得快，老人家已經命喪黃泉。

他無計可施，只能明知山有虎、偏向虎山行了。

他趴在黃澄澄的土地上，一寸寸地找，每一顆石頭都仔細檢查。

第一天，他一無所獲，打坐調息兩個時辰後再繼續尋找。黑夜裡，沒有火光，他仍然跪在地上，摸著每一塊土地、石子。

金陽昇起，曬得他一身的汗水與泥灰，要說多狼狽、就有多狼狽。

但他只是簡單啃塊乾糧、喝了幾口水，便重新投入搜尋大業。

他找得非常認真，幾乎沒有放過任何一寸土地，但仍然沒有收穫。

兩個日夜過去，他全身已經髒污得看不出原樣，原本尚稱剛毅的面孔上滿佈鬍鬚，說他是乞丐也沒有人會懷疑。

第五天，他不只髒，還發出一股味道，就算離他三里遠也能嗅到。

一直偷偷隱著，準備在穆康失敗時以救命恩人姿態出現的趙天源，不得不將藏身之地再撤離半里。

他從不認為穆康會成功，畢竟雪堡居民在百花谷內隱居數百年，每年見過的採蔘人太多，但得蔘而去的，卻是一個也沒有。

他料定穆康必然遇險，屆時，他奮力救他，兩人同回雪堡，不只別人看重他料事如神，沙貝兒也該了解，論才華、講本事，他才是最棒的，她的心該從穆康身上轉移到他身上了。

其實，他暗地想，就算不救穆康，只要讓沙貝兒看到他此時的骯髒惡臭，那些愛啊情的，都要被熏得無影無蹤吧？

沙貝兒實在是太盲目了。他搖頭嘆氣。

至於穆康，看著那野人似的身影，趙天源認為，放棄一件做不到的事是聰明，放棄一件做得到的事是懦弱，而不放棄一件做不到的事，則是愚蠢。顯然穆康正是第三種人。

熬到第七天，趙天源已經快受不了了，他好想跳出來大喊：百草蔘那種東西根本不可能找得到，穆大哥，你死心吧！就算找到又怎麼樣？拿去救一個九十好幾的老頭子？

人生七十古來稀，能活九十已屬奇蹟，用百草蔘那種天地靈藥救岑爺爺，再過兩年，他不一樣要翹辮子？

這種不划算的事，根本不值得做，何況還得受如此大苦，這些人腦袋都壞了，可惡！

第十天，穆康髒到看不出模樣的臉上，突然綻放比天上金陽更加燦爛的笑容。他總算找到了——這東西外型如石頭，觸感如絲綢，用力捏它不會粉碎，卻有彈性，正是書上說過的百草蔘特性。

皇天不負有心人，師父、岑爺爺，你們有救了——

他興奮得幾乎呼喊出聲，但在下一刻，他面色大變，身子如利箭般直襲長空，就連躲在遠處的趙天源都能察覺谷地的變化。

整座百花谷都在搖晃，地面像被巨人以斧頭拚命劈砍、裂出一道道縫隙，無數的土石朝穆康的方向湧去，不多時，已經堆起一座小山。

然後，砰的一聲巨響，小山炸開，一個牛犢大小、頭生尖角、渾身綠色鱗片、四肢如蹄的怪獸從土石裡衝出來，迅雷不及掩耳地撞向半空中的穆康。

「獨角蜥?!」穆康臉色微變，手指向怪獸彈出一點綠色粉末後，便想側身閃躲。

「穆大哥，我來助你！」卻是趙天源現身，手持長劍斬向獨角蜥。

「不要！」他大驚失色。

這時，趙天源的劍已經砍中了獨角蜥。精鋼製成的利劍雖稱不上削鐵如泥，卻也是鋒利非常，可砍在獨角蜥身上，不僅沒造成任何傷痕，劍身反而裂成片片，隨風而散。

「這是……」趙天源呆了。

「該死！」穆康咒罵一聲。

獨角蜥身上的鱗片比鋼鐵還堅硬，渾身刀劍難傷，又最是記仇，發現百草蔘被奪，本就怒火沖天，再被人無緣無故砍一刀，哪裡還在乎穆康彈出的一點迷藥，當下火氣大發，牠發出驚天動地的嘶喊。

「快走！」穆康拉著趙天源，拚命往百花谷外跑去。

趙天源已嚇得失神，隨他四處亂竄。

直過半個時辰，他才恢復神智，問道：「穆大哥，我們不回雪堡找人幫忙，這是要上哪兒去？」

「哪裡沒人，就去哪裡。」穆康面色一沈。「獨角蜥兇惡非常，如今又被惹怒，逢人必傷，我們豈能將禍水往家裡引？」

「可憑我們兩個人，哪裡對付得了如此厲害的怪獸？」趙天源很害怕。

「對付不了也要對付。」穆康一臉視死如歸的神色。「趙兄弟，雪堡內都是我們的親朋好友，若為我倆生死，讓如此惡獸衝進雪堡，你想想，該有多少人傷亡？萬一沙堡主、沙夫人甚至沙妹妹……他們隨便哪一個出了事，我們終其一生可能安心？」

趙天源聽得愣愣的，他想起為了護衛雪堡惡鬥天殘地缺身亡的爹娘，他們當時的心情是否也是這樣？

堡裡有最親密的朋友，和唯一的寶貝兒子，怎能令他們受惡徒所害？因此不自量力，以性命一搏所有人的將來。

雖然最後他仍是因為悲傷驚懼過度，連發一月高燒，差點成了一個傻子，但他終究是活下來了。

他的爹娘不是笨到不懂得避難，而是捨不下那些最心愛的人們，才慷慨赴死。他竟到現在才明白爹娘的心意，虧他讀聖賢書，一度還看不起爹娘的愚蠢，原來，一直看不清現實的人是他。

「發什麼呆？走啊！」穆康拖著他漫山遍野地逃跑。

但輕功非穆康強項，實在很難擺脫獨角蜥的追擊，尤其還帶著一個武功只是半桶水、卻自以為是高手的趙天源，就更辛苦了。

當穆康二人跑過半座山頭，他突然停下腳步，轉向北方而去。

「穆大哥，你不是說前方有個湖，獨角蜥不諳水性，若你我能避進湖裡藏些時候，說不準能逃出生天，怎麼又改變路徑了？」

「我聽見漁歌唱晚的聲音，顯然湖裡有人正在捕魚，我們現在過去，那些人就死定了。」

「可我們走北邊，這裡有可以躲避的地方嗎？」

穆康默然。其實惹怒獨角蜥後，他已經有了自我犧牲的準備。

「趙兄弟，一會兒我再去鬥獨角蜥，你趁亂逃跑，回到雪堡後，叫大家日夜巡邏、謹慎戒備，以防惡獸傷人。」

「我走了，你怎麼辦？」

「我會想辦法擺脫牠的。」或許他可以跟牠同歸於盡，這是最好的結果。

「不行，我不能這麼沒義氣，拋下你不管，我們聯手和那惡獸拚了！」

一直以來，穆康都拿趙天源當兄弟那麼看待，他治療他、照顧他、教育他，卻從來沒有指責過他。

但有些話，事到臨頭卻是不得不說。「趙兄弟，來尋百草蔘之前，我已說過不要任何人跟隨，為什麼你還是來了？」

「我……」趙天源面紅耳赤，不好意思說自己是被嫉妒沖昏了頭。

「你想逞英雄是嗎？」穆康長喟口氣。「但做英雄，是要付出代價的。」就像他那生死兩難的師父一樣。

「我……」趙天源長吸口氣，他已錯了一回，難道還要再逃避第二回？「我知道錯了，我願意付出代價。」

「哪怕這代價是你的性命？」

趙天源瑟縮一下。他還年輕，真不想死，但他更不想做個拋棄同伴、無情無義之徒。

「趙兄弟，死有輕如鴻毛，重如泰山。輕易言死，非英雄所為，況且，你並非沒有生機，而你卻為了面子放棄它，這就更不值得了。」

「那你呢？你的做法就不是輕易言死？」

「只要有一絲機會，我便能逃出生天。」

「你憑什麼這樣有把握？」

「憑我的武功和經驗，還有……」他摸著胸口，雖然自己與沙貝兒清清白白，但他沒有推拒她的情意，在這一點上，他對趙天源有愧。「我有天蠶甲護身。」

趙天源終於懂了，此時此地，他是累贅，不是幫手，他以為自己能在危急時刻救回穆康，贏得眾人的稱讚，根本是癡人說夢。

他垮下肩，沮喪幾乎壓垮他整個人。

這回他不只將失去未婚妻，恐怕連名聲、榮譽……所有的一切都沒了。

他成了一個不知輕重的傢伙，跟以前一樣，除了闖禍，還是只會闖禍。

「我知道了，若有機會，我會走的。」他無精打采地說。

穆康把百草蔘用油紙仔仔細細地包妥，再遞給他。

「穆大哥，你把這東西給我幹什麼？我又不會用。」趙天源納悶。

「待會兒我將獨角蜥引走，你就帶著它，能跑多遠跑多遠，確定獨角蜥沒有追上你，你再回雪堡，把百草蔘交給沙堡主，他知道怎麼處理。」他早想過自己可能有死無生，便將一些急救偏方和處理百草蔘的法子教給沙家人，可惜只有堡主學會。

他希望這法子能救得了岑爺爺，等他復原，再去槐樹村尋師父，兩位醫術大師若能共同論道，興許可以找出徹底救治師父的方法。

他形貌粗獷，可心思很細，做任何事都籌備周詳，才會開始行動。

趙天源至此才是徹底服氣。穆康的才華氣度都是一等一的，難怪沙貝兒一見他便入迷了。

他輸了，輸得很難過、很痛苦，也很悲傷。他看著穆康，不管自己曾經多麼嫉妒他，他的治療、教育之功，他都沒有忘記。

穆康稱他做「兄弟」，但嚴格說來，他更像他的師父，一日為師，終生為父。

穆康要去送死，他心頭宛如刀割。

趙天源小心地收妥了百草蔘。「穆大哥，你一定要小心，我們等你回來。」

「我會的。」只要有一絲機會，他都不會放棄。「獨角蜥來了。我去吸引牠的注意力，你乘機逃走，記住，千萬別回頭！」

「我一定安全將百草蔘送回雪堡。」趙天源立下誓言。

穆康安慰一笑，只見獨角蜥越來越近，牠長長的尾巴一掃，碗口粗的大樹便攔腰而斷，若被擊中，就算穿了十件天蠶甲，也是沒用吧？

趙天源吞口唾沫。他還是頭一回見到如此恐怖的怪獸，穆康一人真的擋得住嗎？

穆康給了他一個滿含自信的眼神。他早知生長百草蔘的地方必有怪獸守護，也配好了強力迷藥，只等拿到蔘，便想辦法迷了怪獸，乘機逃跑。

誰知趙天源壞事，獨角蜥大怒，中了迷藥卻連暈眩都沒有，便瘋狂地追擊兩人，才會弄得他們如此狼狽。

這時，穆康拿出自己的藥鋤，藥鋤漆黑得不起眼，卻是寒鐵所鑄、九煉而成，無堅不摧。

他使出全力，硬撞上獨角蜥額頭金角。

同時，他大聲吼道：「走！」

趙天源不敢往來時路奔去，怕連累那些捕魚人，便朝南方跑去。

獨角蜥被穆康這一撞，居然一陣搖晃，用力搖了兩下頭部，小巧的墨綠眼睛憤恨地瞪著穆康。

穆康也聚起全身功力，準備與牠拚個死活。

誰知牠看了穆康兩眼後，卻轉身朝南方而去。

穆康怔住。這畜牲有如此大度？被他狠扁一下，只瞪他一眼便饒他而去？那牠是為什麼追他們，牠——

「糟了，百草蔘！」原來獨角蜥能聞到百草蔘的味道，所以不管牠們跑到哪裡，他都能找得到。

現在他把百草蔘給了趙天源，卻是間接害他陷入險境。

「該死！」他這輩子從來沒有跑得這麼快，朝趙天源直追過去。

這時，趙天源已被逼到瀑布邊，一面是大水奔騰、一面是恐怖的獨角蜥，似乎不管他選哪條路，都是死路一條。

「把百草蔘丟過來！」突然，穆康抓著樹藤，從獨角蜥頭頂盪了過來。

「吼！」仇人相見，分外眼紅，獨角蜥毫不客氣地尾巴一掃，將穆康狠狠掃下來，他仰頭噴出一口血。

「穆大哥！」趙天源急紅了眼。

「把百草蔘丟給我……」穆康邊說，鮮血邊從他的眼耳口鼻不停湧出，顯然獨角蜥那一下讓他的內腑受了重傷。

趙天源哪裡遇過這種事，早就驚慌失措，穆康怎麼說，他便怎麼做。

當他把油紙包著的百草蔘丟出來的時候，獨角蜥也動了，宛如一座大山般衝向穆康。

但穆康不與牠硬碰，他飛起一腳，把油紙包踢入了瀑布中，自己也隨著這態勢躍入水底。真感謝沙貝兒激他學會游水，否則他現在真的已經是屍體一具。

他想，獨角蜥不是能聞百草蔘的味道嗎？但水能隔絕各種氣味，到了水中，不信那畜牲還能稱王稱霸。

但獨角蜥只遲疑了幾個眨眼的時間。牠似乎很捨不得百草蔘，所以半畏懼半憤怒地跳下瀑布。

直看到這裡，趙天源才隱約了解為什麼穆康沒能把獨角蜥擋住，害他被追得如此悽慘。那畜牲要的從來不是他們，是百草蔘。

現在人、蔘、獨角蜥都在水裡，誰才是最後的勝者？

趙天源沒本事從瀑布上跳下去，便沿著山道往下走，來到瀑布下的水潭邊。他沒見到穆康，至於小小一包的百草蔘？除非老天降鴻運了，否則哪這麼容易找到？

倒是獨角蜥在水裡翻騰得厲害，一會兒升、一會兒潛的，看來牠並不會泅水，剛剛那一跳，純粹是貪心作祟。

只是牠折騰得也太厲害了，弄得潭水翻滾，有幾回大浪突然打下，趙天源避無可避，也給淋了一身濕。

他更害怕了，不敢下水，就在潭邊等著。差不多一個時辰後，獨角蜥終於沈多升少，然後，漸漸不見身影。

他不知道牠溺死了沒，但他擔心穆康。穆康跳下來之前可是受了重傷。

趙天源慢慢沿著潭邊找，試著找尋穆康的身影，若是不能……他心裡一抖，自己的水性也很差，讓他下水救人，恐怕十死無生。

「穆大哥、穆大哥……」他小聲喚著，一邊祈禱那隻獨角蜥快點淹死，否則他和穆康一樣有危險。

他找了大半天，也沒見著穆康的身影，卻發現一件令人心神俱喪的事——那隻獨角蜥正往上浮，雖然很慢，但牠確實浮起。

老天，牠沒淹死，牠又起來了！趙天源手腳並用，儘量游離獨角蜥。但他終究沒逃。不能棄穆康不管，就算他死了，至少也要給他收屍，否則還算是人嗎？

獨角蜥已經整隻浮上水面，並且往潭邊靠過來。

趙天源一步一步地退，等獨角蜥上了岸，他已經游到水潭中央。他寧可淹死，也絕不跟獨角蜥在一起。

「趙兄弟，你在幹什麼？」突然，一個虛弱的聲音像天邊的佛唱一樣，讓趙天源恐懼的心靈瞬間解放。

「穆大哥！」他開心地靠過去。「你你你——」穆康是不是瘋了？他居然不趁獨角蜥危急時取牠性命，反而將牠推上岸？他想害死大家嗎？

「幫個忙。」穆康要他一起救獨角蜥。

趙天源嚇得手腳發軟。沒沈下水中就不錯了，還救怪獸咧！

沒辦法，穆康只得自己將牠推上岸，之後，他再沒半點力氣，沈重的身體像灌了鉛似的，咕嚕咕嚕地往水裡沈。

「穆大哥！」眼看穆康就要沒命，趙天源也顧不得怕了，慌忙救人。

等他將穆康拉上來，才發覺穆康簡直面目全非，臂骨、胸骨也折了好幾根，眼耳口鼻都滲出血水。

他的藥鋤斷了一截，但細看獨角蜥，那粗重的尾巴上也被戳了好幾個洞，正汩汩冒著鮮血。

看來在水裡，穆康和獨角蜥又打了一場，不過這回，穆康慘勝。

趙天源讓穆康在岸邊躺平，又餵了他幾顆平常帶的療傷藥，希望能減輕他的傷勢。

然後，他發現了一件不可思議的事——穆康手裡居然還捉著那包裹百草蔘的油紙包。這麼大的水潭，他到底怎麼找到它的？

尤其，剛才情況如此危急，他仍不忘自己使命，趙天源更是佩服他的韌性。

沙貝兒就是看見他這份勇猛，才會愛上他，死活不嫁自己吧？

趙天源無法確定，但已經徹底認輸。既然良緣非己，不如成全他們，也算一樁福報。

穆康服了藥，沒多久，又掙扎著起身。

「趙大哥，你上哪兒去？」趙天源扶起他。

「我跟獨角蜥講幾句話……」

「什麼？」趙天源懷疑他傷到腦袋了。「一隻怪獸怎麼聽得懂人話？」

「牠守護這蔘也不知多少年頭了，平常並不傷人，這回若非我們奪寶，牠不會兇性大發，說來是我們搶了牠的東西，才有今天的禍事，其錯在我，不在牠。」自從獨角蜥棄攻擊改追趙天源，他便看出這是隻已有靈性的怪獸。

對於這些天地靈物，穆康一向心存敬畏，若非百草蔘事關岑爺爺、師父兩條性命，也許他會把蔘還回去。

趙天源想，忠義之人腦袋多半也不拐彎吧，他居然還去同情一隻獸？

他啼笑皆非，但還是扶著穆康來到獨角蜥身旁。

穆康摸著牠有些歪邪的金角，見牠墨綠色的眼流下豆大的淚珠，不禁感慨。

「對不起，你好好在百花谷生活，也不傷人、不害人，但人們卻不停地打擾你，是我們不對。」

獨角蜥委屈地哼了哼。

「但我真的很需要這蔘救命……我也不要多，就取一半，剩下的還給你，你大人有大量，便將這事揭過如何？」

獨角蜥眼睛亮了，當下，腦袋反覆點了三次。

穆康鬆一口氣，取了油紙包打開，將百草蔘一分為二，一半重新包起，一半遞給獨角蜥。

牠一口吞下，大概是被搶怕了，好東西不要等，吃了就是。

獨角蜥吃了蔘，身上的傷便以肉眼可見的速度痊癒了，金色的角甚至長大一圈，發出淡淡的光芒。

牠對穆康點了個頭，代表恩怨兩清，從此不找他們麻煩，然後便轉身離去。

趙天源看得眼都直了。原來怪獸真的通人性，這實在太神奇了。

「穆大哥，牠牠牠——」咚，他還沒說完，便聽到一記撞擊聲，原來穆康已經支撐不住，昏倒在地。「穆大哥，你別嚇我啊！」他趕緊揹了穆康跑向雪堡。

老天保佑，他千萬沒事才好，否則……沙貝兒一定很傷心。

想到她，他心裡還是酸酸澀澀的。二十餘年的情分，終是斷了。

但經歷這一切後，他奇異地不再有怨。像穆康這種為了別人的事，連命都可以不要的人……他苦笑，誰能恨得了？

他還沒有辦法為他們祝福，但他會學著看開的。

至於現在……

穆大哥，你要撐住啊！

第八章

穆康被送回雪堡後，所有人都被他身上的傷勢嚇了一跳。

沙堡主趕緊把他離去前留下來的護心丹餵他吃下去，先吊住他一口氣。

沙夫人和沙貝兒替他清理傷口，外衣剝開，裡頭的天蠶甲早已碎裂，可見當時情況之激烈。

趙天源本想解釋自己為什麼會跟穆康在一起，但見大家忙碌，也沒人理會他，不由得鬱悶，沮喪地走了出去。

沙堡主注意到了，但為了搶救穆康的性命，他現在真沒時間去安慰一個以為自己能獨當一面、其實尚未完全成長的半大少年。

他只希望經過這件事，趙天源能真正成熟。

沙貝兒拿寶刀劃開了天蠶甲，這件傳承數百年的傳家寶，至此算是廢了。

但她一點也不心疼，她只對甲下那整片黑青、幾乎不見完好的肌膚感到悲痛。

早知道採百草蔘那麼危險，她就陪他去了，生同衾、死同穴，她對他的感情已到了生死與共的地步。

沒有他，她不知道自己要怎麼繼續活下去？思念他嗎？

他們相處了一年，卻要她用一輩子來遺忘？

她的心如刀割過那麼痛，但為何如此傷疼的時候，她仍不後悔當初的深情？

「穆大哥，忍著點，很快你就會好起來，對不對？」她安慰自己，也安慰他。

依稀間，穆康似乎呻吟了聲。

沙貝兒好開心。「他在回應我！他聽得見我說話，他答應我了……」

沙堡主和沙夫人都沒開口，因為他們什麼也沒聽見。他們只擔心穆康有個萬一，女兒八成也要瘋了。

但沙貝兒不管，她只是眼眶含淚，唇角卻揚起期待的笑，一一為他接上斷掉的肋骨，救治他的傷勢。

然後，她除下他腹部最後一塊天蠶甲。

「嗚！」沙夫人發出一記悶哼，臉色整個白了。

穆康的腹部有一道好大好深的傷口，只差那麼一點點，那些腸子脾胃就要露出來了。

如果要處理傷口，就得把那些內臟推回去，再幫他縫好傷口。

但是……誰做得了這麼恐怖的事呢？別說沙夫人了，連沙堡主都轉過頭去，不忍再瞧。

只有沙貝兒直直地看著那道巨大的傷口，因為她必須記住臟器的位置，才能夠處理穆康的傷口。

她拿起針線，手沒抖，但心已經揪成一團了。

她匆匆地擦去眼角的淚，逼自己冷靜，她現在不需要感情，因為那只會妨礙她救人。

但她彷彿能聽見滴滴答答的水聲，那是心在淌血的聲音。

「貝兒……妳……我……」沙堡主有些結巴，這裡血腥太重，他怕女兒受不住。

「要不要爹來替妳？」

「不必，我可以的。」他去取百草蔘前，教了沙家人很多急救方法。他早知道自己這一趟去必定危險。

那時沙貝兒就做了準備，所以他教的東西，她聽得特別仔細。

她記得他說過，越是危險的時候，越要冷靜，存活的機會越大。哭泣不能解決問題，所以她聽他的話，擦乾淚、洗淨手，將他的內臟推回腹腔裡。

她不知道自己做得對不對，但他一動也不動，她只能繼續接下去的工作——縫合他的傷口。

她手中的針線穿過他的皮肉，帶出鮮血，彷彿也把沙貝兒的眼睛染成紅色了。

「貝兒，妳……累不累，剩下的讓娘來做……」沙夫人好怕女兒倒下。

但沙貝兒搖頭。

「不必了，我可以的，不過他雙腿和手臂上的傷就要麻煩爹娘了。」她平板的語氣幾乎不像個活人。

沙堡主和沙夫人都覺得這不是自己的女兒，那衝動莽撞的小姑娘在剎那間成熟了，被悲傷逼得長大了，失去了她的天真嬌憨。

他們曾經渴望她長大，整整十年，他們期望著她從嬌俏可愛的少女，蛻變成溫柔穩重的大姑娘。

如今他們的希望成真了，可為什麼他們一點也不高興？

夫妻倆流著淚又迅速擦掉，專心幫忙沙貝兒救人。

沙貝兒的針線功夫從來沒好過，她繡隻鳳凰，人人都當是烏鴉，但當她縫合穆康的傷口時，下手卻穩得像個大師。

細針穿過皮膚、然後是肌肉，再是皮膚、肌肉……沒多久，針和線以及沙貝兒的手也完全染上血色。

鮮血帶著一種她終生都忘不了的可怕腥味，但不管再難受，她還是很認真，一針一針地數著……八十七、八十八、八十九，整整縫了一百零八針，她才將穆康的傷口處理完畢。

這時，沙堡主和沙夫人也包紮好穆康手腳的傷勢了。

沙堡主又餵了他兩顆護心丹，讓他不穩的氣息稍稍穩定下來，但他的臉色依然詭異暗沈。

沙家人不是深諳醫術的大夫，他們只學過幾天的急救之術，也不知道他這種情況算不算正常？

可沙貝兒看得出來爹娘都累了，連續四個時辰的急救，每個人都乏得手腳發軟。

她說：「爹娘，穆大哥剛服了藥，也許需要一些時間恢復，這裡有我就夠了，你們去休息吧！」

「妳也累了，不如叫阿敏來守著，妳去睡一會兒，再來看他。」沙夫人很擔心女兒。

「我就算回房也睡不著的。」沙貝兒即便答話，可眼神片刻也沒離開穆康身上。她全副心思都在觀察他的心跳和呼息，祈禱它們能越來越強勁，他終究能恢復過來。

但結果只是讓她失望。

「娘，妳去睡，我一定要看著他醒過來。」她坐到穆康身邊，挨著他，好像就在那裡扎根了。

沙夫人拿她沒轍，只好和丈夫先回房，同時吩咐廚房給小姐燉雞湯、熬雪蛤，反正什麼滋補就煮什麼，現在需要調養的不只穆康，連沙貝兒的情況也不好。

唉！只是採個蔘，怎麼會弄成這樣子呢？沙夫人真是不懂。

「待明兒個找天源問問吧！」沙堡主說。

「你是說，這事和天源有關？」

「當然有關，要不他們會巧到一起回來？」

沙夫人低下頭，沈思許久，才道：「相公，若是天源害了穆大夫……你打算怎麼辦？」

「應該不至於，否則他哪裡敢把人帶回來？」沙堡主說。「不過穆大夫的傷，九成九與他脫不了關係。我希望穆大夫能醒過來，天源的事就由他來處理了，畢竟一人做事一人當，天源現在也讀了不少書，該知道負責任了。」

「那女兒和天源的婚約……」

「妳看貝兒那樣子，像是肯嫁天源的嗎？」沙堡主越想越怒。「老祖宗曾交代，岑老頭不是個普通的大夫，堡中人絕不能怠慢他，我也把他當爺爺一樣供著，就差每天三炷清香祭拜了，結果呢？貝兒打十六歲起就沒再長過，我請岑老頭幫貝兒治療過幾回，有用嗎？天源高燒，傷了腦子，變得半癡不傻，他治了幾年也沒治好，直到穆大夫出現，只花一年就讓貝兒和天源恢復大半，妳不覺得這其中有問題？」

「相公的意思是……這些事都是岑爺爺搞出來的？」

「恐怕是貝兒不想嫁天源，才聯合岑老頭幹的壞事。」

「想不到貝兒為了拒婚，居然……」沙夫人長喟口氣，既惱女兒的刁鑽，也心疼她的處境。愛她的人，她不愛；她愛的人，不敢愛她，這已成一團打不開的死結。「相公，有沒有可能——」

「妳想讓天源和貝兒解除婚約？」

「我看貝兒是真的很喜歡穆大夫，若逼她嫁天源，也不會幸福的。」

「那穆大夫喜歡她嗎？」

「穆大夫為人最是謙和，雪堡裡誰不誇他忠厚老實，唯獨對貝兒特別嚴厲，我看他對貝兒是特別的。」

「不是特別討厭吧？」

「怎麼可能？我認為穆大夫對貝兒是想愛卻不敢愛，只好嚴厲拒絕她，以保安全。」

「果真如此，也不枉貝兒一片癡心。只是天源……我們怎麼對得起他爹娘？」

是啊！想到趙氏夫妻死前託孤時的淒涼與悲壯，沙堡主夫妻便發愁了。今天為女兒幸福，擅毀承諾，異日九泉之下，怎麼見故親好友？

尤其趙天源喜歡沙貝兒，唉，這問題就更難解了——

❈ ❈ ❈

趙天源給沙貝兒送來藥膳。

他見她不眠不休照顧穆康，心裡既感慨也酸澀。

他們情深義重，他還要繼續強插一腳嗎？

就算他堅持娶了她，得到她的人，也得不到她的心吧？

他和媳婦兒——不，從此以後，她怕是再成不了他的媳婦了。可憐他二十餘年的期盼，終究也是鏡花水月一場空。

「媳——」好努力，把心都扭疼了，他終於改口。「貝兒，伯母讓人給妳燉了湯，妳要不要喝一點？」

他盛了一小碗給她，還怕她悲傷過度，不肯飲食，準備了一大篇勸誡之語，正要說給她聽，

哪知沙貝兒直接拿過湯盅，一口一口，喝盡了滿是藥味的雞湯。

趙天源有點吃驚。「呃……那個……妳以前不太喜歡補湯，要不要來顆松子糖

清清口中的苦澀？我去幫妳買。」

沙貝兒依然握著穆康的手，她隨時都在查探他的脈搏，希望得到好消息，只可惜……但沒關係，她不會放棄。

她回身，給趙天源一抹溫婉的笑，像春末的桃花，已經綻放得最美，卻不知何時讓暴雨一打，遍地落紅。

「貝兒……」趙天源忍不住心痛。

「放心吧！我會照顧好自己。」她繼續審視著穆康，專注得彷彿已和他合為一體了。「我還要看護著他痊癒呢，怎麼可以倒下？」

「是嗎？」真是羨慕穆康，有個女人如此愛他。「穆大哥現在怎麼樣？有沒有好一點？」

「我不知道，從你揹他回來後，他就一直昏迷，我已陸續餵了他六顆護心丹，但他還是沒醒。」她好後悔，小時候岑爺爺曾提過教她醫術，但她嫌悶，只去玩了兩天就放棄了。

倘若當時她努力學習，現在說不定就可以救他性命了……

她悄悄地決定，他若痊癒，她便努力學醫，將來懸壺天下、濟世救人。

「我記得穆大哥離去前，留下一瓶護心丹，總共十顆，說是危急時的救命靈丹，而今已吃了六顆，萬一……妳有沒有想過怎麼辦？」

她瞪大了美麗的眼，絕望的眼神像暗夜一樣漆黑。

「貝兒，要不我去外頭找找有沒有什麼厲害的郎中、大夫，請他們來為穆大哥治療？」

「如果連護心丹都不行……」沙貝兒的嗓音帶著哽咽。「普通的大夫更無能為力了。」

「但護心丹的功效──」趙天源還沒說完。

沙貝兒突然臉色大變。她就算在說話，也始終注意穆康的狀況，見他五官滲血，顯見他的傷勢不僅沒有好轉，反而惡化。

她趕緊又餵了他一顆護心丹，過不了多久，他的出血停了，但依然昏迷不醒。

這兩天，他的病情就是如此反覆著，沙貝兒好怕好慌。護心丹快吃完了，到時候怎麼辦？

「若是岑爺爺在就好了。」趙天源感慨，以前有岑爺爺、有穆康的時候，堡裡何曾發生過這種束手無策的事？

雪堡曾經擁有過兩個神醫，可現在都倒了。唉，莫非是天意？

「岑爺爺——」她眼睛一亮。對啊！他們還有岑爺爺這最後一張王牌。「你快去找我爹，讓他按穆大哥留下的指示，將百草蔘處理了，餵食岑爺爺。」

「什麼？」現在比較危險的不是穆康嗎？幹麼分心去照顧別人？

「如果穆大哥留下的藥方正確，岑爺爺服藥後，很快便會清醒，也許他會有辦法救穆大哥！」

「喔！」他恍然大悟，急匆匆地往外跑。「我這就去找堡主，讓他準備熬藥！」

沙貝兒像溺水者難得地捉到一線生機，興奮得全身發抖。

她握著穆康因為重傷而日漸削瘦、指節凸出的手，低頭輕吻他乾澀的唇。

這些事都是他清醒時，她不敢做的，但她現在能做了，卻一點也不開心。

因為他無法回應她，哪怕只是掙扎也好，她多希望他仍是之前那個和她針鋒相對的男人。

她真的好愛好愛好愛他，愛到只要他平安，她願意付出一切。

可是，老天不給她機會。

「穆大哥，我求你一定要撐下去，哪怕只是為你師父……你不是一直想救他嗎？既然如此，你怎麼可以比他先死？

「穆大哥，我答應你，只要你醒來，不管你說什麼我都會聽，我會很乖巧、很溫柔的。

「穆大哥，你知道我這輩子最不願意做的是什麼嗎？我不要實現那樁指腹定下的婚盟，為此，我寧願吃下神仙配，把自己弄得人不人、鬼不鬼的。但是你說一諾千金，人不可以食言而肥，我覺得很討厭，又不是我許的諾，為何要我承擔？可你都開口了，只要你清醒，我……我願意嫁，你說怎麼做，我就怎麼做，我一定為你披嫁衣，好不好？可是……穆大哥，你願意親手送我這個『妹妹』上花轎嗎？我不要爹娘牽，我就要你陪著我，一路送我進入趙家門……

「穆大哥……我發誓，我說的一切都是真的，所以求求你醒過來吧！我……我不會再纏你……你不要我的愛，我就不愛，沙貝兒這輩子心底再也不會有『愛』這個字了……你醒醒吧！穆大哥……」

她在他耳邊輕聲說著，每一個字都是一份濃烈的情意。

不知為何，穆康矇矓地聽見有人在說話，心頭湧上一種很悲傷，卻又很依戀的感受。

他不喜歡那話裡的絕望，他想伸出手，握住那隻纖細的柔荑，緊緊地擁抱她。

但他動不了，無論怎麼使力，就是什麼也做不到。

他這才明白何謂後悔。

為何在他可以回應這份稚嫩又笨拙的感情時，自己沒有緊緊捉住她，反而一次又一次將她推開？

老天爺，再給他一次機會吧！這一回他會摟緊她，再也不鬆手。

他要告訴她，妖嬈美麗固然賞心悅目，但他更喜歡她的英氣勃發。

他要告訴她，他雖然覺得她不擇手段避婚太離譜，卻欣賞她十年如一日的毅力。

他要告訴她，其實他很佩服她從小照顧趙天源長大的勇氣。

他要告訴她……貝兒，好久好久以前，在他第一次為她治療，而她咬牙堅持下來時，他就已經喜歡她了。

愛情在歲月中增長，他每天都發現她的一點好處，便多愛她一些。

但他又覺得搶趙天源的未婚妻，有失厚道。

於是，就在明知她亦對他有情的時候，他選擇逃避。

可她從沒放棄過這份情愛，所以就變成他退一步、她進一步的關係。

然而，愛不是說不要就能丟棄的東西，愛是他越退，越是心傷，越退，越邁不動腳步……他已經退無可退了。

她的身影在他心裡扎了根，除非將他的心挖掉，否則要怎麼除去她？

他愛她，他愛上了自己兄弟的未婚妻，這樣太卑鄙，可他控制不了。

當他以為自己會被獨角蜥打死時，他腦海裡唯一的念頭是，為什麼他沒有跟沙貝兒說一句——我愛妳。

他後悔，今生不能用這雙手臂緊緊擁住她，親吻她宛如花瓣的櫻唇，對她許下愛的誓言，他至死無法瞑目。

貝兒，我愛妳，我真的愛妳……

可惜，這已無法說出口。

❈ ❈ ❈

趙天源將沙貝兒的辦法告訴沙堡主後，他差點嚇死了。

沙堡主一輩子沒下過廚房，頭一回居然是要熬製如此珍貴的藥材，天哪！萬一失敗……喔！他不敢繼續往下想，心快麻痺了。

如果有人可以代替他就好了，可惜……他瞄一眼身邊的夫人，昔日穆康教授沙家三人急救之道時，他妻女的表現實在是……無言以對。

他向上天禱告一定要成功。穆康說過，這並不難，把藥引丟進去，三碗水煮成一碗，再放入一片百草蔘就可以了。

問題是——

「夫人，三碗水煮成一碗，是大火煮還是小火熬？」

「這個……」沙夫人跑出廚房。「我找人幫你問問。」

「妳問誰啊？」雪堡裡兩名大夫都倒了，還有其他懂醫藥的人嗎？

但沙夫人還是找到答案了。「阿敏說，既然無法選擇大火或小火，就用中火煮吧！」

「這樣也行？」但沙堡主沒有選擇餘地，因為他根本不懂，只能有人說，他便照做。

然後，他每隔半炷香，就將藥水倒出來量一量，檢查到底變成一碗了沒，因為接下來要放蔘片。可是……

「娘子，一片百草蔘到底是多大片？」

「這個……」沙夫人再度跑出廚房。「我找人幫你問問。」

「妳要不乾脆讓阿敏也一起來算了。」

「好主意，我立刻去叫她！」沙夫人走了。

沙堡主一直等、一直等，一直等……糟糕，藥汁不小心熬過頭，一整碗只剩八分滿，怎麼辦？再加點水進去行不行？

為什麼熬藥如此麻煩？他決定了，如果岑老頭或穆康誰能醒過來，他要堡裡八歲以上的孩子，每人都去學兩年的簡單醫藥知識。

至少，他們都得學會熬藥和切蔘片才行！

「可不可以再放點水進去，讓藥汁變成一整碗……」他考慮著這個神聖的問題。

「沙伯伯，貝兒讓我來問你，藥熬好沒有？」突然，趙天源走進來問道。

「那個……差不多了，只剩……」真是沒面子啊！「我不知道要切多大片的百草蔘進藥汁裡？」

「啊！」這種事也需要考慮嗎？趙天源直接把蔘和刀一起接過來。「我切吧！」一塊拇指大小的蔘片丟進了藥汁裡，說也奇怪，本來黑漆漆、散發濃厚藥味的湯汁居然變成乳白色，隱隱飄著花香。

沙堡主和趙天源看得呆了。「這真的是藥？」

「應該是吧？」趙天源想到那頭獨角蜥吃了半顆百草蔘，全身上下的傷都好了，不禁有點羨慕，畜牲就是幸福，受了傷，找到靈藥可以直接啃，也不怕身體撐不住，不像人，還要加一堆藥材熬煮，才受得起藥力。

「那還等什麼？趕快端去餵岑老頭啊！」沙堡主拉著趙天源往外跑，卻在門口撞見姍姍來遲的沙夫人與阿敏。

「你們去哪兒？」沙夫人追著兩人的腳步問。

「藥熬好了，我們拿去餵岑老頭喝！」沙堡主說。

「你怎麼知道要切多大片的百草蔘？」

「對啊！」沙堡主把問題丟給趙天源。「你怎麼知道要切多大片的百草蔘？」

「我雖沒見過百草蔘，但這一年多來，穆大哥每日給我抓藥、熬藥，我也是天天看著的，什麼藥、怎麼處理、多少分量，就算弄不精準，也不會差到哪兒去吧？」趙天源說。

「原來如此……」沙堡主陷入沈思。如果雪堡勢必得有第三個大夫，趙天源能不能成為人選？

四個人迅速跑到岑老頭的住處，沙貝兒已經等在那裡。

「怎麼樣？藥熬好了嗎？」她問。

「好了。」趙天源把藥碗遞給她。「貝兒，要不要我們幫妳？」

他話一說完，沙夫人眼睛就瞇起來了。趙天源改口了，不是媳婦兒，是貝兒，難道……他死心了，願意自動退婚？無論如何，這件事一定要弄清楚才行。

「不必了，我去就好。」沙貝兒搖頭。「岑爺爺一向不喜歡別人踏入他的居所，所以佈置了一些機關毒物，你們不熟悉，萬一中招就麻煩了。」

四個人很乖地點頭，因為他們都中過招，那種生死兩難的痛苦，沒有人願意再試一遍。

沙貝兒端著藥進入屋內。她所有的希望都在這碗藥了，上天保佑，它一定要救醒岑爺爺，讓岑爺爺醫治穆康。

老天爺，求求您了——

第九章

穆康給岑爺爺開的藥方並非一服就見效，必須每隔兩個時辰服一帖，三帖過後，岑爺爺可能有六成的痊癒機會。

他行事一向保守，有三分本事，只會謙虛地說一分，絕不會誇張成十分。

但這回穆康卻是大大失算，當沙貝兒將那碗含有百草蔘的藥湯給岑爺爺餵下去，不過半個時辰，老人家就睜開雙眼了。

「這是什麼東西……卓不凡，你敢破壞我的好事？岑顛與你勢不兩立……」他依然很虛弱，聲音比蚊蚋還細，但火氣卻不小。

「岑爺爺……」沙貝兒一見他睜眼，滿腔的害怕、憂慮、疲倦便再也忍不住，化做淚水，傾洩而出。

「妳誰啊？」近一年，沙貝兒成熟很多，岑爺爺一時竟有點認不出她。

「岑爺爺，是我啊！」她小手在他肩膀上輕捏一下，很小力，卻喚起了老人家的記性。

「貝……貝兒……妳怎麼長大了？」可惜了，如今一點都沒有小時候的清麗嬌憨。唉，小孩子就是這樣，長大後都不可愛了。

「有人給我解了神仙配的藥性，於是我開始成長了。」說著，她再捏一下。「你當初讓我吃藥的時候還說不傷身，一點都沒告訴人家，那會讓人再也不長個子。」

「妳小小的才可愛，長那麼高做啥？」剛清醒就說了這麼多話，岑顛也有點累了，嗆咳幾聲，閉眼喘息。

「岑爺爺，既然這藥有效，一個半時辰後，我讓爹再去煎一帖，你連吃三帖，保證又能像以前一樣生龍活虎。」說著，她便想退出臥房。「你先休息，我一會兒再來。」

但岑顛卻不想放過她。「等一下，妳先告訴我，這藥方是不是一個姓卓的人開給你們的？」

「不是。藥方是穆大哥開的。」

「穆？他叫什麼名字？出身來歷？師承何脈？」

「他叫穆康，綽號一斛珠。至於他的師父，我聽說是個很了不起的人，不過現在身受重傷，隨時有性命之虞。」

「身受重傷？莫非真是卓不凡？當年一直沒找到他的屍體，莫非他逃出生天了……」岑顛呢喃自語著。

「岑爺爺，穆大哥為了取百草蔘救你，受了很嚴重的傷，我和爹娘給他急救，還餵了護心丹，可他依然昏迷不醒，隔三差五便口吐鮮血。」想到穆康現在的慘狀，沙貝兒的眼淚便止不住地流。「你一定要救救他……岑爺爺，請你救他一命……」

「護心丹?!果然是醫聖一門的玩意兒，不過他怎麼會來這裡？應該沒人知道我隱居在此，難道……對了，卓不凡自己也受了重傷，那穆康必然是聽聞百草蔘神效，才特地來採蔘……可惡！醫聖一門真不是東西，老夫花了大把時間培育的靈藥，你說摘就來摘，當我閻王門是紙糊的嗎?!不過……嘿嘿嘿，你們絕對想不到我能弄到一頭獨角蜥替我守藥，就憑你們想採蔘？下輩子再說吧！」

話說岑顛六十幾歲時，已經是名滿江湖的神醫，只要他出手，沒有救不活的人。他曾放話，沒有百金，別去找他，丟人現眼。

而當時的卓不凡才二十餘歲，丰神俊朗、平和仁善，救治窮人甚至不收診金，受過他幫助的人敬他高義，便稱他為醫聖。

聖比神更是高了一籌，岑顛的面子哪裡掛得住？於是約了卓不凡比試，非要比出誰才是天下第一不可。

適巧，展城發生瘟疫，卓不凡便道：「不如比試誰救的人多，則為勝者。」

岑顛欣然同意，小小瘟疫還不放在他眼裡，但他忽略了一件事，他六十好幾了，體力精神都有所欠缺，可卓不凡年輕氣盛，加上武力支撐，可以連熬十日不睡、拚命救人。至於岑顛，第八天時，他受到感染也倒下了，竟成為待救的病患之一。

至此，岑顛名譽掃地，恨死卓不凡了。

他心有不甘，便與卓不凡再次約戰，十五年後，尋一絕症者，看誰能用最神奇的方法治好病患，誰就贏。

岑顛為了重新奪回第一名醫的稱號，尋遍天下，最後找到百花谷，發現百草蔘。當時，百草蔘還只是個指頭大小的玩意兒，已散發出非凡靈氣。

岑顛認為，下一戰的勝負就在這百草蔘上頭了。

從此，他在百花谷住下，可惜那裡生活太差，他幾度支撐不住，後來被前雪堡之主所救，才在雪堡定居，偶爾給人治治病，當然，最大的目的還是照看他的寶貝百草蔘。

隨著蔘草長大，越來越多人盯上它，岑顛為防蔘草受損，想盡辦法弄來一頭曠世怪獸獨角蜥，為他守護百草蔘。

他一心等著十五年後，重新奪回屬於自己的名譽，卻想不到卓不凡捲入朝廷政爭中，傳聞身殞、屍骨不存。

當時，他心裡說不出是憤怒還是絕望，他一輩子最大的對手居然就這樣死了，從此放眼天下，還有誰能與他比試？

無敵最是寂寞，而岑顛就這樣一個人坐在醫界的最高峰，品嚐永無止盡的孤獨。

他再也沒離開雪堡，也不再與人爭強鬥勝，失去卓不凡的日子變得再也沒有意思。

然後，日子一天天過去，不知不覺，他邁入九旬高齡，身體也漸漸老化。他並未太用心調養那些小毛病，就算治好了，能活上一百歲、兩百歲又怎樣，不一樣寂寞？

後來他的病越來越嚴重，從腰痠腿疼到咳嗽、胸悶，最後發燒、暈眩。去年，他一口氣沒上來，竟昏迷過去了。

其實以他的內力修為和年輕時對身體的調養，不至於一病不起，他只是有種活膩了，不想再起來的念頭，便一直睡下去了。

直到他被那碗藥喚醒。

那碗藥，為了讓病人嚥下，藥湯在九分苦澀中帶著一分甘美；下藥要溫和，不能急功近利，以免壞了病人根本。

這種近乎苛求的用藥方式是卓不凡專門的，所以他迫不及待醒來，想會一會這生平唯一的對手。

但開藥的不是卓不凡，只是他一個徒弟。他真的有點失望，但沒關係，找到徒弟，還跑得了師父嗎？

「哈哈哈——」岑顛太開心了，一口氣沒緩過來，差點又暈過去。

「岑爺爺！」沙貝兒嚇一大跳，急匆匆往外跑。「你撐著點，我讓爹再給你熬碗藥去。」

岑顛癱在床上，又一次品嚐到氣虛體弱、動彈不得的滋味。

但他一點也不難受，反而興奮。

「卓不凡，你等著，老子很快就會去找你了……到時候，老子要你輸得連件褲子都不剩，哈哈哈……」

多久了，他第一次這麼開心，原來人生爬到巔峰卻毫無對手，是一件痛苦至極的事。

聽說卓不凡受了重傷，肯定嚴重，否則他的徒弟不會來採蔘……決定了，這次賭鬥，那絕症患者就選卓不凡！

等他用百草蔘治好那個一點都不懂得敬老尊賢，還一張假仁假義嘴臉的臭小子，看他還怎麼囂張？

哈哈哈，到時候一定要叫他給他磕頭喊一聲：「岑爺爺，我輸了。」

啊！想到那一幕，岑顛樂得快翻天了。

不多時，沙貝兒又急急地端了一碗藥走進來。「岑爺爺，你沒事吧？來，快點把藥喝下去，這是第二帖，等你——」

「慢著。」岑顛清醒久了，腦子也漸漸活絡了，開始察覺有些不對勁了。「貝兒，妳這藥的氣味聞起非常特別……你們不會採到百草蔘了吧？」

「哇！」說到百草蔘，沙貝兒的眼淚就特別多，像春雨那般落個不停。「為了給岑爺爺尋藥，穆大哥至今重傷昏迷……岑爺爺，你一定要趕快好起來，救治穆大哥，否則——哇！」她忽然嚇得大叫。

因為岑顛聽見百草蔘竟然已經被採集，還讓自己喝下了肚，要拿什麼去救卓不凡？贏回他天下第一的名譽？

穆康！你個混帳王八蛋兼龜兒子生的龜孫子，老夫半生心血就這麼被你毀了！

好好好……岑顛氣得眼一翻，暈了過去。

但昏迷之前，他已下定決心，終此一生，他和穆康沒完沒了。

✽ ✽ ✽

岑顛康復後第一件事不是救治穆康，而是把趙天源捉來揍一頓。

「我讓你去採百草蔘、我讓你去鬥獨角蜥、我讓你切蔘片……」他幾乎把趙天源打成豬頭，才放過他。

趙天源冤枉死了，要說採蔘，主謀者也不是他，他不過是跟屁蟲，為什麼把所有的罪都算在他頭上？

況且，若無他一番辛苦，將穆康和百草蔘一起帶回，岑老頭說不定早死了，還有力氣在這裡揍他？

不過當他看見岑顛拿著只剩指甲蓋大小的百草蔘時，那副萬般不捨、心痛萬分的模樣，他心裡也不氣了。真是一物剋一物啊！

岑顛揍完趙天源，終於決定去救穆康，再跟他算百草蔘的帳。

「我真是有夠倒楣。」趙天源揉著一身疼痛，拖著腳步正準備回房，突然發現一雙手扶住了他。

「沙伯母？」他吃驚。她怎麼會在這裡？

「不好意思啊，剛才的事……嗯……」沙夫人尷尬地低頭。「我都看見了，可是……天源，你得原諒伯母，岑老頭的功夫真的很厲害，伯母沒膽子出來阻攔。」

「沒關係啦！我知道他不會打死我。」就是有一點痛而已。

「我帶你回房敷藥。」沙夫人說。

「謝謝伯母。」

沙夫人送他回房，先用藥酒幫他揉散身上那些瘀青，再拿金創藥塗抹他臉上的傷口。

這些東西都是穆康來了以後專門煉製的。不得不說，他的醫術雖不一定勝過岑顛，但醫德肯定贏上百倍。

穆康給的藥不僅效果好，敷上去後，傷口陣陣清涼舒爽，不像岑顛做的，藥散敷上的瞬間鮮血立止，而傷口也同時痛如火燒，可以把一個好漢子徹底疼暈過去。

因此自從穆康來了，大家都不太用岑顛煉的藥了。

沙夫人一邊給他抹藥，一邊想著該怎麼問他，為何突然不喊媳婦兒，改喚貝兒了？他真的死心了？那要不要順便把婚約也一起退一退？

這陣子穆康昏迷不醒，沙貝兒與他朝夕相處、片刻不離，沙家夫妻早就頭痛死了。這沒名沒分的兩個人日夜混在一塊兒，算什麼？

尤其女兒還掛著趙天源未婚妻的頭銜，若是傳揚出去，她還有半點名聲嗎？

一定要想辦法在事情惡化前，將它徹底解決，可是……貝兒是他們的心頭肉，天源也是從小看著長大的寶貝，手心手背，如何處理才不會寵了一個，卻傷了另一個？

「伯母。」趙天源閉眼享受沙夫人溫柔的關懷，自他爹娘過世後，沙堡主夫妻接手照顧他，待他有如子姪，他也視他們如父如母，現在「娘親」有事煩惱，他自然不會視若無睹。「妳是不是有什麼心事？」

「啊？」沙夫人愣了下，差點把藥膏塗進他的眼睛裡。

「唉喲！」幸虧他閃得快，否則有得罪受了。「伯母，妳若有事，儘管直說，只要天源辦得到，赴湯蹈火，在所不辭。」

「這個……」沙夫人想著委婉的說辭，儘量不要傷害這可憐的孩子。「你……最近堡裡發生太多事，沒太顧著你，那個……你還好吧？」

「很好啊！穆大哥開的藥方還留著，阿敏每天都會熬一碗給我喝，我感覺最近腦子越來越清明了，連貝兒都說我機靈許多。」

「那就好、那就好……」沙夫人笑著，總覺得管人姻緣這事真是天底下第一困難。真不知怎有那麼多人喜歡做媒婆，煩死了。「你……你和貝兒沒再吵架了吧？」

「穆大哥昏迷不醒，我們都很擔心他，哪裡有閒暇吵架？」

「那你和貝兒，你們……」

趙天源大概有些懂了，原來沙夫人特地找他，想問的是這件事──他和沙貝兒的姻緣。

那曾經是他的夢，他的理想、他的一切……可人不是神，一生短暫，有些東西能夠屬於自己的時間更短，而現下，他和貝兒的夫妻情緣就到這兒了。

從今而後，賢妻是大嫂……他突然有點想哭。

「我和貝兒很好啊！」不管心再痛，他努力讓自己微笑。「她就跟我的妹妹一樣，之前我們還說過，若穆大哥有幸清醒，不如我們三人結拜，她就是我們的小么妹了，結果不知怎地，被她揍了一頓。」

「你們……兄妹？」沙夫人簡直不敢相信，這事情的演變也太快了。

「是的。」趙天源恭恭敬敬對著沙夫人鞠躬。「對不起，伯母，我知道爹娘過世前，曾為我與貝兒指腹為婚，但我們實在不適合，所以小姪想，我們能不能解除這樁婚約？」

「天源，你……」沙夫人哽咽著，眼淚都快流出來了。她知道先變心的是沙貝兒，但趙天源有成全她的這份胸襟，確實很了不起。「委屈你了，天源，這件事是我們沙家對不起趙家，我和你伯伯有負你爹娘死前所託——」

「伯母。」趙天源打斷她的話。「妳和伯伯對我已經夠好了，我一輩子都不會忘記你們的恩情。至於貝兒……其實我們一直像兄妹，不似情人，不是嗎？姻緣天注定，既然無緣，那就算了吧！我相信不管是我、還是貝兒，我們都有屬於自己的緣分，只等那一天到來，我們……大家都會很幸福的。」

「天源，你真的成熟很多。」

「我吃了那麼多藥、讀了那麼多書，再不成熟，未免太不長進。」他說著，將沙夫人送出臥房。「伯母，妳放心吧！這件事一定可以完美落幕的。」

「嗯！」沙夫人點頭，心裡其實頗歉疚，也為趙天源心疼，但木已成舟，又能如何呢？她只能在心裡不停向他道謝，感激他成全了女兒的幸福。

趙天源微笑著凝視她一路離開，看起來很滿足，也很快樂。

直到沙夫人的身影完全消失，他回到屋內，門一關，雙腳再也支撐不住地癱倒在地。

他雙手摀住臉，淚水不停地自指縫間滲出。

沒有了，他最愛的媳婦兒沒有了，從此而後，她再也不屬於他。

「媳婦兒……」有時候，他真希望自己沒有恢復，就可以繼續傻傻地纏著她，不管她趕他、踹他還是罵他，甚至她為穆康哭瞎雙眼，他都不會有感覺。他只要跟她在一起，只管自己的開心就好了。

但他清醒了，讀了書，有學問，會武功，明事理，堡裡其他大姑娘、小婦媳都讚他原來生得好相貌，堪比潘安、宋玉。

他也很驕傲，以為沙貝兒會跟他一起分享這榮耀，可是她並不喜歡這樣的他，在她眼裡，情義比才學重要多了，所以她愛上了堪稱濫好人的穆康，真的很諷刺，不是嗎？

然後，他們之間越來越遙遠，不管他怎麼追也追不上，最後，他不只看不見她的身影，連她的人也失去了。

他壓抑著聲音大哭。他愛沙貝兒，真的好愛好愛她……

媳婦兒、貝兒……他無聲地吼著，也只剩下現在可以這樣呼喚她了，等穆康清醒，等他們定下名分，從此而後——

她便是他遠不可及的大嫂了。

✽　✽　✽

岑顛本來對救治穆康很感興趣，他是個大夫，對各式疑難怪症都特別好奇。但當他看見那個號稱吃了十顆護心丹，依然昏迷不醒的穆康後，他只想把他揍得永遠不醒。

這傢伙哪裡有什麼問題？不就一截斷裂的胸骨插進肺裡，反覆破壞他的內腑，才會讓他嘔血不止。

「當初是誰給他處理的？」他要順便再把那個蒙古大夫打得變樣。

「我、我、我。」沙家三口一起舉手。

對於沙堡主和夫人，岑顛是打得下手，但淚汪汪的貝兒……算了，當那個問題沒想過。

「岑爺爺，穆大哥怎麼樣？他會不會好？」沙貝兒拉著他的手一直發抖。丫頭這回恐怕是玩真的了，唉，卓不凡的弟子有什麼好呢？還不如趙天源那個傻小子，雖然他傻的時候不可愛，清醒的時候一樣難玩，讓岑顛對他沒好感。

他也不怕人知道，他早有能力救治趙天源，但就是不想救。他覺得趙天源不是丫頭的良配，還故意幫丫頭避親。

他甚至敢大聲說，趙天源若想強娶丫頭，讓丫頭不開心，他就讓他傻得比以前更厲害。

他的個性就是如此，而他自己則非常以這份特立獨行為榮。

「放心，他沒事的。」岑顛安慰沙貝兒。

「可是……」沙貝兒話沒說完，就見一抹鮮血自穆康嘴角蜿蜒流下。「護心丹！」她不禁大喊。

但岑顛一指點了他的穴道，鮮血立刻停了。

「不過小小的內傷，用得著護心丹那麼珍貴的藥物嗎？」

「可這五、六天，他一直這樣……」沙貝兒看著他日漸削瘦，心痛得簡直要碎成兩半了。

「他會這樣是因為你們當初為他接合肋骨時沒接好，讓其中一截斷骨插入他的肺臟，損傷了他的內腑，只要把骨頭調回來，自然沒事。」岑顛說。

沙家三人互相看了看，又將穆康的胸膛仔細望了一遍，好像、似乎每一根骨頭都接好了啊，哪裡錯漏了？

岑顛也懶得跟他們解釋，直接動手幫穆康處理傷勢。

不知是不是錯覺，岑顛調整完後，沙貝兒彷彿聽見穆康發出一記深深的喘息。

「穆大哥！」她衝過去拉起他的手。「對不起，之前你一定很痛苦吧！都是我們不好，害你吃這樣的苦頭，但你放心，岑爺爺醒了，只要有他在，你一定很快能恢復健康。」

「嗯！」岑顛有點不爽，ㄚ頭本來最親的人是他，現在居然是別人。他哼了聲。「反正也不是什麼重傷，休養個三月、半年，應該就沒事了。」

「這麼久？」沙貝兒不樂意了。「岑爺爺，你以前治人都很快的，這回怎麼要用如此長時間？」

「妳沒聽過傷筋動骨一百天嗎？這骨頭都斷了，沒有三個月，怎麼可能會好？」

「以前小祖宗也摔斷過腿，但你用三天就治好牠了。」她指的是那隻能放毒煙的白狐。

「這個……」岑顛一時被問住了。救穆康不難，但……他不爽啊！

「岑爺爺欺負人家……」

好了，百試百靈的一哭二鬧三上吊來了。

岑顛自己都不明白，他最討厭別人糾纏不清，偏偏沙家丫頭對他口味，兩人像對活寶，沙貝兒自從懂事起，就愛跟著他四處玩鬧，攪得他不得安寧，這日日夜夜下來，他真覺得小孩子是天底下最恐怖的生物。

更可怕的是，丫頭越來越討他歡心，她刁鑽任性、野性難馴，與他年輕時簡直一模一樣，不知不覺，活寶演變成祖孫情，獨身一輩子的岑顛也有了個「家人」。

要不，當年他何須費大心思替她煉神仙配，擺脫婚約？

唉，小丫頭也算是他命中魔星了。

「好啦、好啦！我想辦法讓他儘快好起來。」不過一定要穆康付出代價。哼哼，敢拐他的小丫頭，就要有活受罪的準備。

「儘快是多久？三天、十天、半個月……」沙貝兒打破砂鍋問到底。

「一個月。」岑顛咬牙道。

他漫天開價，她便就地還錢。「二十天。」

「二十五天！」岑顛火了。

「十五天。」沙貝兒瞪圓了眼，大有「你不依，我便再哭一場」的意思。

岑顛氣死了，而這些帳全都要算到穆康身上。

「催催催，催那麼急，趕投胎啊?!」

「岑爺爺——」

「別喊了，這不已經在救了！」不過他掏銀針、取藥的動作很慢罷了。

沙貝兒忍不住就要氣他。「人家穆大哥可以一次用上三十六根針呢！哪像岑爺爺，一根一根地用，慢得像烏龜。」

「彈針法是他們醫聖一門的絕學，卓不凡能一次使用一百零八針呢，這小子才會用三十六針就敢出來江湖混，不自量力。」

「穆大哥才幾歲，等穆大哥到了他師父的年歲，肯定更厲害。」

岑顛詭異地看著她。「丫頭，妳到底以為卓不凡幾歲？」

「能把穆大哥教得這麼厲害，應該跟岑爺爺差不多吧？」

「難怪人家說，頭髮長長、見識短短，唉！」

「岑爺爺——」

「丫頭，告訴妳吧！卓不凡頂多四十，是個——」岑顛不願承認，但他還是必須說，世上有一種人叫天才，而天才若肯吃苦、加上努力不懈，便成了千載難逢的絕世天才，那便是卓不凡。

這才是岑顛幾十年來念念不忘與他二度比試的原因，能得一個絕世天才做對手，是他這一生中最滿足的一件事。

第十章

岑顛用了一刻鐘讓穆康清醒過來，又花了三天的時間，讓他可以行走自如。

沙貝兒感動得淚眼汪汪。「岑爺爺最棒，岑爺爺最好，我最喜歡岑爺爺……」這些話不知道喊了多少回。

岑顛高興地被捧著，小丫頭就是貼心，懂得哄老人家。然後他轉頭看穆康，想到自己從小看到大的乖孫女兒就是被這麼一隻大熊也似的笨男人騙了，真想把他踢到牆壁上，黏著三天起不來。

穆康只覺岑顛怪怪的，但也沒有想太多，畢竟，大夫救人天經地義。他哪裡曉得岑顛的小氣和變態有多麼恐怖。

「多謝前輩救命之恩。」穆康拱手為禮。

岑顛越看他是越討厭。採他的百草蔘、拐他的孫女兒、揍他養的獨角蜥……幹了這麼多壞事，一句「謝謝」就想了結？

「岑爺爺……」為了心上人，沙貝兒可是使盡了撒嬌大法。

岑顛冷哼一聲，撇開頭。有句俗話說：君子報仇，三年不晚。但岑顛是小人，所以他等待報仇的耐性只有——三天。

現在穆康外表看起來無虞，其實是個空殼子，正是最好欺負的時候，他不趁此時機，難道等他恢復了再打個昏天暗地？

不過貝兒在場，他就算要使壞也得小心，千萬別被她看出來，又來那招一哭二鬧三上吊的把戲。

他想了想，對穆康和沙貝兒說：「你們先別開心得太早，他之前虧損太大，還需要一些東西補充氣血，否則將來有他苦頭吃。」

這點穆康自己也清楚，所以淡然地道：「無妨的，前輩，晚輩只要好生休養上三年、五載，自然無恙。」

「喔！」岑顛渾不在乎地聳肩。「最好你是能安心休養。」

但沙貝兒顯然比穆康更了解他的個性，他是那種聽見李家抱怨今冬缺柴火，他便去砍棵樹回來，把整條街所有人家的柴火都補齊的人，他能安心休養，除非豬長出翅膀學鳥飛上天了。

「岑爺爺，除了休養之外沒有其他方法了嗎？比如多燉些補品給他吃。」

「妳要燉補品是無所謂啦！但別指望我給妳配藥，我最近很忙，有一件非常重要的事要做。」他準備找卓不凡挑戰去了。

「難道沒有其他更好的辦法？」

穆康正想說，他也是大夫，懂得如何照顧自己的。

岑顛已先開口。「後山有很多碧蓮子，妳讓他去摘個三十粒，每天吃一顆，一個月就生龍活虎了。」

穆康一聽，面紅似血。因為碧蓮子在補充氣血之餘，也是一種刺激性慾的東西，是專門用來調情的。

「後山有這種好東西，我怎麼不知道？」沙貝兒有些懷疑。她心思敏銳，當岑顛和穆康同處一室時，她能感覺他們之間詭異的火花，不是仇恨、也非厭惡，就是岑顛很想欺負穆康而已。也不知道岑爺爺哪根神經搭錯線了，年紀越大，越像個不講理的老頑童，受不了。

「我苗圃裡也有無數好東西，跟妳講解過幾百遍了，妳記住了幾樣？告訴妳根本是浪費時間。」岑顛道。

沙貝兒無言，以前她確實是個很不認真、很不用功的孩子。

但以後不會了，為了配得上穆康，分擔他的辛苦，她會努力學習，做一個厲害的大夫。

「反正你是死不了了，至於想用什麼方法做後續治療，你們自己考慮，我還有事，先走一步。」

「等一下。」沙貝兒捉住岑顛。「岑爺爺，你還沒告訴我們碧蓮子生在哪裡、長什麼樣子？難道讓我們滿後山地找？」

岑顛輕蔑地一撇唇。「穆家小子，你不會連碧蓮子是什麼東西都不知道吧？」

「晚輩曉得。」

「那你懂得怎麼去找？找得到嗎？」

「後山就這麼大，晚輩自信能尋著目標。」

「好啦！」岑顛對沙貝兒聳肩。「現在問題解決了，妳沒事了吧？」

沙貝兒對他吐舌做個大鬼臉。「我就愛纏著岑爺爺，你能怎麼辦？」

「那妳纏吧！」岑顛就這樣拖著沙貝兒，繼續往外走。

穆康見他們就像一對親祖孫一樣，感情真好，不禁有些羨慕。

他很小便失去了親人，所以對「情」之一字，看得特別重，可以說把他這個人剖開，除了情，就是義了。

但他開心，沙貝兒就不高興了。她跟著岑顛走，豈不離穆康越來越遠？

可惡、笨蛋、沒情趣的東西！都不會留她。

她左腳踏右腳地反覆跺著，不想走了。

岑顛揶揄她。「怎麼？後悔跟著老頭子，離開情郎啦？」

沙貝兒有個好處，她愛憎分明，不耍虛偽，也是因為她這種性子，岑顛在整個雪堡中最欣賞她，與她相處最好。

「他怎不留我？」她語氣帶著泣音。

「他是那麼機靈，懂得要留妳、討妳歡心的人嗎？」

「那也……」真笨，蠢呆了，他還跟她揮手道別耶！氣死她了。

「妳要喜歡，就自己去追，我看他對妳是很有意思的，只要妳加緊一步，包管妳手到擒來。」岑顛教壞小孩子。「不過妳也得有準備，他就是這麼蠢，妳想他學會哄妳開心，這輩子是沒指望了，相反地，他還會三天兩頭惹妳生氣，自己也不明白妳為何發火？像這種笨蛋，如果妳能忍受一輩子再去追，否則死心吧！長痛不如短痛。」

沙貝兒繼續左腳踩右腳，踩半天。「岑爺爺，我叫阿敏來陪你回去好不好？」

「怎麼？擔心老頭子連這一小段路都走不了啦？我沒那麼遜。」尤其服用了百草蔘後，他身體一些小病痛不僅全數痊癒，連停滯多年的功力都有突破的跡象，或許，這就像人家說的破而後立吧！

他一閃身，像陣煙般消失在沙貝兒的視線裡。

沙貝兒嚇了好大一跳，她的好輕功就是跟岑顛學的，知道他厲害，卻想不到竟有鬼神莫測之能。

「岑爺爺真是老而彌堅。」她佩服地讚了一聲，然後回過頭，看見穆康還在那兒傻傻地揮著手。

真笨！蠢死了！但為什麼她就是愛慘這個沒錢、沒權、沒勢，連容貌都不比趙天源俊俏的濫好人？

「揮揮揮，你揮個什麼啊！趕蚊子嗎？」她沒好氣地轉回房，本來想說些更難聽的氣氣他，可見到他剛毅面容上猶存的那點蒼白，心便軟了。「你現在覺得怎麼樣？還有沒有哪裡不舒服？」

「我已經沒事了，這些日子……」赧紅自他臉上一閃而逝。「多謝沙妹妹照顧。」

「喔！」還是「妹妹」啊？真洩氣。「你說的嘛！咱們雖非親兄妹，可手足之情卻是真真切切……」

「不是手足之情。」他慌急插口。

「什麼？」

「我是說……我我我……」穆康結結巴巴，尷尬得要死。說實話，他寧可再去跟獨角蜥打一架，也不想面對眼前的窘迫。

可他不能再放走她了，有過一回差點失去她的經歷，他知道那種痛比撕心裂肺還可怕。

他無法再逃避了，他喜歡她，不是兄妹那種喜歡，是他愛她。

他對不起趙兄弟，但他真的愛上這個敢愛敢恨、勇往直前的小姑娘了。

一開始，他確實神智不清，畢竟那時他受傷太重，但幾顆護心丹下肚後，他雖因斷骨傷著內腑，無法行動，但神智卻漸漸清醒，他聽見她的呼喚、她的哭泣、她的哀傷，還有她的愛。

他們兩情相悅，卻愛得如此痛苦，全是因為他的古板。她早就說過，她寧死也不嫁趙天源，為什麼他還要為了一份婚約，斷送兩人的未來？

她的眼淚成了他心裡最刻骨銘心的痛。自那一刻起，他便發誓，他寧可去跪求趙兄弟的原諒，也不再讓她傷心落淚。

他要好好地愛她、疼她、寵她，讓她臉上從此除了笑容之外，再無悲傷。

「沙妹妹，我……我喚妳貝兒可好？」這句話幾乎用光他一半的力氣。

瞬間，她雙眼亮得比天上的金陽還要燦爛。貝兒啊！經過那麼多的努力與辛酸，她終於讓自己的感情更進一步了。

「好好好，貝兒……嗯，我喜歡你叫我貝兒……」

「貝兒。」他伸出手，輕輕攬住她的肩。

她的眼淚立刻流下，那麼柔軟又深情的聲音，也只有他喚得出來。

「對不起。」他的手指畫過她眼下，抹去那帶著熱度的液體。「我總是……我笨嘴笨舌……我明明希望妳開心，卻總是害妳哭……其實，貝兒，我是想說……我我我……我真的很喜歡妳……」

「是像爹愛娘那種喜歡嗎？」她怕自己會錯意，緊張地捉著他的衣襟。

「嗯。」他不好意思地點頭，在她頰上輕啄一口。「我愛妳，是男女之情，我想娶妳為妻，雖然……我知道自己很對不起趙兄弟，但……貝兒，我是真心愛妳的……」

「可你以前不是這樣說……」她抱著他，淚水一滴滴浸濕了他的前衫。

「我知道我過去很差勁，見妳對趙兄弟大呼小叫，便自以為是地當妳嫌棄他，故意欺負他。其實那只是你們相處的方式，妳開心，他也挺樂意的，我這外人根本沒權說些什麼。」他直到她為了救趙天源而摔入廢井中，才徹底明白。就像有些老妻愛叫她們的男人「死鬼」一樣，難道真的是在詛咒相公嗎？只是一種口頭禪罷了。

「後來……妳的心思我也明白……」他不只一次發現她偷看他，戀慕熱切得教人的心發麻。「可我怕對不起趙兄弟，才想與妳結義，用兄妹之誼止住男女之情。可是……我每天看著妳，就忍不住想妳，妳吃飽沒？有沒有穿暖？妳今天笑了？還是哭了……等我發現時，我已經沒有辦法不想妳了。」

他深深擁著她，把她抱得好緊好緊。「後來，妳為我偷天鼉甲，那是妳沙家的傳家寶，妳居然為了我……我無法形容自己當時的心情，可我告訴自己，此番我若再負妳，就不是人了。」

她靜靜地聽著他說的每一個字，那都是她午夜夢迴時幻想過的，不過她沒想到，她能真正得到……

她哭得說不出話來，只能抱住他。

明明，她想過無數愛的語言想說給他聽，但現在，她張口，除了哭、還是哭……這一段情，她實在談得太累，如今只能用淚水宣洩過去的悲傷，還有心底的快樂。

他溫柔地吻去她一顆又一顆的淚，它們很鹹，卻很溫暖，連帶著他的心也熱起來。

他們彼此依偎著，片刻都不想離開對方。

他們十指糾纏著，此時，無聲勝有聲。

❈ ❈ ❈

自從沙貝兒知道有碧蓮子這種東西後，就不停纏著穆康，要去採藥，為他補身。

穆康實在不知道怎麼告訴她，那種東西吃多了，後遺症會很嚴重——可能弄出人命，可不可怕？

他告訴沙貝兒採藥一事，不急在一時，應該先去找趙天源，向他道歉，他們做了對不起他的事。

但沙貝兒說，趙天源與她早就解除婚約了，現在他們是異姓兄妹，見不見都無所謂啦！

穆康只覺不可思議，趙天源對沙貝兒的迷戀是人都看得出來，他怎麼捨得解除婚約？

但沙貝兒拉來沙夫人作證，那樁婚約確實由趙天源主動提出，雙方同意，和平解決了。

穆康再沒理由拖延採藥之事，只得帶著她上後山。

淙淙流水蜿蜒過泛黃的草地，幾許遲開的野花點綴其中，正襯出秋末的豔麗與蕭瑟。

沙貝兒瞪圓眼，四處看著。「碧蓮子長啥樣子？是碧綠蓮花結出來的蓮子嗎？」

「碧綠蓮花？」

「就是綠色的蓮花嘛！」

他愣了一下，真豐富的想像啊！

「碧蓮子是一種水生植物——」

他還沒說完，她已興奮地插口。「所以我們找一條河或者湖泊，下去摸一摸，就能找到碧蓮子？」

摸一摸，是摸蛤蜊嗎？這丫頭，不管模樣怎麼變化，衝動的性子始終不改。

「碧蓮子不長在一般水裡，它喜歡寒冷，越是冷冽的地方，越能見著它的蹤跡。我聽聞後山有一寒潭，冰冷徹骨，我猜測碧蓮子應該就在那裡。」

「寒潭……」她臉色整個變了。「你是說碧蓮子長在死人湖中？」

「死人湖？」他第一次聽見這名號。

「雪堡人都知道，死人湖水一碰即凍，誰敢下水，非變成冰雕不可，那種地方怎麼能去？」她改變主意了。「我們不要碧蓮子了，我用別的方法幫你調養——」

話到一半，又沈默。她什麼都不懂，連藥分溫、寒、熱都搞不清楚，怎麼替他調養身體？難道就讓他這樣熬著，到了老來再受苦？

「既然不用碧蓮子，那我們走吧！」他挺高興不必忍受那種後遺症的。

她又改變主意了。「不，岑爺爺既然告訴我們這個方法，就肯定能達成，他是古怪，但他說話從來不會不算數的。」

「可是……」他根本來不及表達意見，她拖著他就往死人湖走。

穆康暗自嘆氣，看來這一關是跑不了了，幸好他內力不錯，抵禦一點寒氣還是可以的，就下湖隨便摸點碧蓮子，能跟她交差就算了。

好不容易到了，見了那水潭，小小一處，他猜這應該不是天然形成，是岑顛特意弄來培育靈藥的。

「喂！」沙貝兒推了他一把。「幫我把衣服拿好。」

「什麼——啊！」他驚呼，趕緊把頭轉開。「妳脫衣服幹什麼?!」他心怦怦跳，她雪白的肌膚好似會發光，勾引著他的心思飄飄蕩蕩，連意識也模糊了。

「下水採藥啊！」一句話未完，咚一聲，她已跳入寒潭。

「貝兒！」穆康快嚇死了，以她那爛死人的功力，哪裡撐得住潭水的冰寒？

他想也不想，脫了外衣，與她的一起往潭邊樹上一掛，跟著躍入潭中。

沙貝兒下了水，才知道這潭水冷到什麼程度，那是四肢失去控制的極度冰寒。

就在意識即將飄渺之際，一隻大掌攬住了她，冰涼的唇貼住她的，宛如炭火般的一股氣便度進了她體內。

不多時，她就發現凍僵的四肢漸漸恢復知覺了。

她睜開眼，看見滿臉擔憂的穆康，心一揪，緊緊地擁住他。剛才真的好險，她差一點點就再也見不到他了，就只差一點點……

穆康卻把她抱得更緊。方才真的差點嚇死他了，她渾身僵硬地漂浮在潭水中，一動不動，彷彿……他再也不想回憶那恐怖的畫面。

他右手牽住她的腕脈，內力如潮水般源源不絕輸入她體內，驅散每一分侵入她體內的寒氣。同時，他踢動雙腳，讓兩人迅速浮出水面。

他抱著她跳出寒潭時，並沒有中斷替她運功，反而加大力量，務求她沒受到任何寒害。

等她終於鬆口氣，徹底恢復過來後，他又拾來柴火點燃，讓她取暖，同時，從樹上取回她的外衣，讓她重新穿好。

他一直忙碌著，連半句話都沒說。她也小心翼翼的，以為自己的莽撞又惹惱了他。

她痛恨死自己的衝動了，但她發誓，她絕無惡意，只是每每在她腦子轉動前，她的身體已經做出令她後悔的事。她一直很努力想改，但不知道為什麼，一遇上有關他的事，她的努力就全部消失了。

「穆——」她口才開。

咚，他料理完她後，轉身，又跳回寒潭裡。

她的眼眶立刻濕潤了，他一定氣她氣得很厲害，才不肯與她說一句話。

「對不起。」她知道他聽不見，但她還是忍不住要說。

她不敢說自己會改，因為那種誓言她發過無數次了，從來也沒用。

她只好道歉，求他原諒，無論他要她做什麼事賠罪，她都會做到。

「對不起……」

她話到一半，又聽到嘩的一聲，他從潭裡躍出來了，手上拎著一大串好像綠色葡萄的東西。

「來，快吃一顆。」這便是碧蓮子，生長在寒潭深處的漩渦中，沒有一定的武力，尋常人想找它無異於找死。

此物性燥，專補氣血，對男性雄風尤有益處，但不是說女子便不能服用，在極度受寒後，服用一顆碧蓮子，保證寒害不侵，立刻又變成活龍一尾。

方才穆康趕那麼急，連句話都沒空與她說，便是為了採碧蓮子醫治她受寒的身軀。

「穆大哥，我——」看見他，她興奮得快瘋了，撲上去就要道歉。

「快吃。」誰知他臉一板，卻像廟裡的關老爺那樣嚴肅。

她嚇一跳，哪敢再說話，趕緊把碧蓮子咬碎吞下。

「打坐調息。」他又說。

她立刻照做。好像有點不對耶，一向是她嘰嘰喳喳，纏得他渾身無力，不得不對她提出的各式合理或不合理要求舉手投降。

可現在，他變得好有威嚴喔！她偷偷睜開眼，見他赤裸著上身，厚實的胸膛上凝著水珠，太陽一照，閃得她眼睛差點瞎了。不，更可怕的是，她口乾舌燥、身體發熱、心跳加快……她暗暗嚥口唾沫，只差那麼一點點，她就要撲上去將他壓倒了。

完蛋，她真的色慾薰心了……

穆康根本沒注意到她的異狀，連續兩回下寒潭，他自己也冷得半死，見她無恙後，他便也服了一顆碧蓮子，開始運功驅寒。

不多時，燥熱的藥性發作，他氣喘吁吁，胸膛也漸漸轉為赤紅。

沙貝兒察覺他的異狀，一開始以為他身體不適，但越看越覺得……嗯嗯嗯，他額頭冒汗、爆青筋了耶！嗯嗯嗯，他胸膛起伏很快，可見心也跳得很快，嗯嗯……他……嘿嘿嘿，她在心裡暗笑，他雖然坐著，但她仍注意到他身下的雄偉正在迅速膨脹著。

這代表什麼？他現在情慾高漲，急需發洩。

但穆康從來不是縱慾之人，怎麼會突然變成這個樣子？

她的視線轉向他身邊那一大串碧蓮子，想來罪魁禍首必是這玩意兒無疑。

岑爺爺啊！她在心裡吶喊。我實在太感謝你了，你知道我使盡手段也追不到他，便用這法子助我一臂之力，你放心，我絕對不會辜負你的好意的！

她決定了，一定要在最短的時間內將穆康吃乾抹淨，否則她就不叫沙貝兒！

尾聲

最近沙貝兒很勤勞，每天都跟著阿敏下廚學做藥膳，而且專做有助男性雄風的那種。

不知內情的人都讚她孝順，想想沙堡主的年紀，也是到了該吃藥膳的時候，沙貝兒這一做，不只爹爹受惠，娘親一樣幸福。

而深知內情的阿敏則是嚇得每天臉色慘白，小姐就要去勾引穆大夫了，萬一成功，她是幫兇，夫人肯定罵她；若不幸失敗，沙貝兒必然遷怒，她一樣倒楣。

嗚嗚嗚，做人丫鬟就是這麼命苦，好事輪不到，壞事件件都要扛。

又一盅藥膳出爐，沙貝兒先叫阿敏嚐嚐。「阿敏，妳說我這回做的味道怎麼樣？穆大哥會不會喜歡？」更重要的是，會不會發現裡頭摻了碧蓮子？

「小姐，妳真要這麼做？這事若傳揚出去，妳會被堡主打死的！」

「阿敏，妳也得替我想想，我今年二十七，過幾個月，吃完湯圓就二十八啦！再不嫁，我就嫁不出去了。」

「妳以前不是老嚷著與其嫁人，寧可絞了頭髮做姑子，怎麼現在全變了？」

「以前是以前，現在是現在，對象不同了，阿敏，妳明白嗎？錯過了穆大哥，我會後悔終生的，所以……」她握緊拳頭，用力揮了揮。「哪怕是不擇手段，我也要把他變成我的。」

「萬一穆大夫發現真相，生氣了，怎麼辦？」

「我也沒想能瞞過他啊！妳別看他一臉忠厚，其實心裡自有一把尺，我爬樹鑽洞，他哪件不知道，但只要不觸及他的底限，他也不會管我。他說，人就是要照著本性過活，才會快樂。」所以她跟他在一起非常開心，不過……這回他應該會很火大，然後，她的小屁股要吃點虧。但事後他會負責，並且疼她一輩子。這麼划算的買賣，不幹的是傻瓜。

「可是……」阿敏還想再勸。

「唉呀，妳真是囉嗦。」沙貝兒端了湯，逕自往外走。「不問妳了，我直接去哄穆大哥喝，如果不行，就逼他吃碧蓮子。我就不信，憑我撒嬌的功力會拿不下他。」

沙貝兒走到廚房門口的時候，遇上趙天源，他先打招呼。時光是最好的療傷聖藥，如今他看見她雖然仍有些心痛，但已能正常應對。

「貝兒，匆匆忙忙的去哪裡？」

「去洞房。」沙貝兒隨口丟下一句，飛也似地跑了。

趙天源聽見她的話，徹底呆了，後來阿敏出來，將沙貝兒的詭計說了，他的腦子突然一陣混亂。如果他未來娘子對他幹出這種事，那他……會發瘋吧！

他想起一句古語，某些人跟某些人在一起，就跟油和水一樣，無論再親密，也不可能融合在一起。

他和沙貝兒會不會就是油和水，彼此青梅竹馬，可惜性情差異過大，就算沒有穆康的出現，也無法恩愛到白頭。

這一刻，他有種豁然開朗的感受。現下這樣子也不錯，真的，有時拐個彎，未嘗不是件好事。

沙貝兒捧著湯，在堡裡尋找穆康。那傢伙平常大門不出、二門不邁，就守著苗圃，坐在園子裡為來求醫的人義診，從不亂走，為什麼今天找到湯都涼了，也沒看到他的人？

難道嫁人就這麼難，她只是喜歡他，又不是要殺人放火。「老天爺，您就行行好，看在我一腔深情的分上，成全我們吧！我真的非他不行……」

她追穆康追得太久，追到幾無信心了。

「穆大哥，你到底在哪裡？」她找得快累死了，無精打采地回自己閨房，卻在門口看見他。他居然在那裡跟小祖宗玩。「穆大哥?!」老天爺一定是故意在耍她！

哼，以為這樣她就吃不住他嗎？想都別想，今天，九月二十八日，她就要把他變成她的人，然後，快則三天、慢則一月，她要成為「穆夫人」，此言此誓，永生永世，絕不更改。

「貝兒。」穆康扶她在台階上坐下。「妳怎麼了？搞得這樣狼狽？」

他不問還沒事，關心的話語一出口，她的淚珠便往下掉。

「人家燉了湯，想要請你喝，找了你好久都找不到，現在……哇，湯都冷了啦！」

「我一直在這裡，也沒亂跑，妳上哪裡找了？」她的淚掉得他心疼。不就是一盅湯，冷了沒關係，他接過湯盅，雙手握住，卻是用內力將湯重新溫熱了。

「雪堡的每一處我都找過了。」除了她自己的閨房。她作夢也想不到他會來這裡，這傢伙木頭到平時親密點，他都閃得老遠，誰知道他今天會變樣？「你怎麼會在這裡？」

「我發現碧蓮子少了好幾顆，那雖是靈藥，但吃多了也會傷身的，便四處尋找拿藥的人，誰知……」他指著白狐道：「原來是牠吃的。我還怕牠吃壞了身子，給牠檢查好久，發現這小祖宗真是異種，不只能發出毒煙，牠的血肉用得不好是劇毒，用得好，比什麼解毒丹都有效，不知道妳們當初是怎麼養的？」

「我也不知道。」小祖宗膩過來想撒嬌，被她推到旁邊去。現在她有重要的事做，沒功夫跟牠玩。「那是岑爺爺養的，你如果想學，就去找他吧！不過你要先幫我把湯喝完，我再陪你找岑爺爺。」

「可我才吃完午膳……」他面有難色。「要全部喝完恐怕……」但見她眼眶又開始泛紅，算了，喝吧！

他先嚐一口，臉色有些苦。真是味道很特別的湯，聞起來明明很香，為什麼味道卻……這是酸？苦？還是澀？他根本分不清，乾脆閉上氣息，一口灌完算了。

喝完後，他只覺頭暈暈的，有點想吐。

「貝兒，我——」他要站起來，卻有些腳軟。

沒錯、沒錯，她要的就是這種效果，要他昏昏沈沈，沒有反抗餘力，任她為所欲為，但某個部位又要精神奕奕，不然怎麼成就魚水之歡？

「穆大哥，你是不是不舒服，要不到我房裡休息一會兒？」她扶起他——說是扶，根本是扛，反正只要把人弄進屋裡，事情便成功一半了。

「不是……貝兒，這樣於禮不合，我……」他好奇怪，想睡覺，但身體又好熱，尤其是下半身，簡直熱到要爆炸了，這是怎麼一回事？「貝兒，我不能在這裡，我怕……不，來不及了，妳離我遠一點……我不想傷害妳……」

但我想傷害你啊！她心裡想著直接將他扛上床。

「穆大哥，你一定是之前受的傷沒休養好，才會反反覆覆發作，你應該放輕鬆點，讓自己過得更舒服才是。」她一邊說，一邊快樂地替他除去外衫、鞋襪。啊，夢想即將實現的這一刻，她真想發表感言，比如感謝爹娘將她生出來，感謝岑爺爺苗圃裡有無數的藥物可供她取用，感謝阿敏陪伴她在廚房忙碌多日，感謝……她最想感謝的是月老啦！能把穆康送到她面前，這肯定是月老一輩子幹過最大的好事。

「不是……」他掙扎著想起床，卻被她壓住，他熱燙的大掌碰到她細滑的肌膚，就像火遇到冰一樣，讓他全身一顫。「我的傷已經好了，這是……貝兒，妳……妳在湯裡放了什麼？」

「什麼？」她裝傻。早知道瞞不過他，但是「坦白從寬、牢底坐穿」這句話她還是聽說過的，因此打死不認。

「妳……」他氣得說不出話，這丫頭知道自己在幹什麼嗎？這件事若傳揚出去，他一個大男人還無所謂，她的名節怎麼辦？如果他現在能動，一定罰她寫上一百遍閨訓！

「穆大哥，你在發抖耶，你冷嗎？」她蹭到他身邊，小手緊緊抱住他的腰。「別怕，我給你取暖。」

「沙貝兒……」

哇，連名帶姓地叫，他氣壞了。

她趕緊奉上香吻一個。「穆大哥，你別生氣嘛，人家只是……只是……你都沒有表示，人家擔心，才想……把飯煮一煮算了。」

「我已說過喜歡妳……難道妳認為我是那種將情愛隨口掛嘴邊的人？」他邊說，喘得好厲害。

「可你都不去提親。」

「妳怎知我沒提親？」他不只提了，還慎重地向趙天源道歉，取得他的諒解，但因為尚未稟明師父，所以沒將事情講開罷了。

「你提了？呵呵呵……」她開心得說不出話來，抱著他又親又笑。追了這麼久的心上人，終於追到手，真的好開心，可是又好心酸。別人的愛情若是甜蜜蜜，她的追夫記可以寫成一部人生奮鬥史了。

「貝兒。」他握緊拳，奮力抗拒著壓下她的慾望，還有睡覺的需求。軟玉溫香在懷，他有情慾是正常，但為什麼會這樣想睡？「既然妳我名分已定，早晚是要成親，現在妳是不是先給我解了毒？」

「我沒下毒啊！」

「那妳給我喝的是什麼？」

「就老母雞一隻、碧蓮子一顆、迷魂草若干、人蔘少許、當歸、金線蓮……反正都是很補的東西。」

是，那些藥聽起來都不錯，但君臣不分、冷熱互沖，難為他能撐到現在還沒死。

「貝兒，妳聽著，妳現在就去找岑爺爺，讓他來替我看病，要快，知道嗎？」他的眼睛已經睜不開了。

「有什麼不對嗎？」他說話的時候抱得她好緊，她覺得好舒服呢！

「因為妳的湯……那已經不是湯，是……」他睡死過去了。而他的一隻手還擱在她一邊胸脯上，好像正想與她恩愛纏綿。

「穆大哥？」開玩笑的吧！哪有人洞房洞成這樣的？「穆大哥，你醒醒啊！」她的湯到底哪裡出錯了，為什麼會這樣？

天啊！這樣到底算有沒有吃到他？不管，她低下頭，先狠狠吻他幾口，把他的唇親腫，在他的脖子、鎖骨留下幾個紅印，製造木已成舟的假象。

她就是要在最快的時間內與他成親，免得再出禍事。可誰知，她一碗湯竟讓他昏迷了三天，唉，這世間果然是不如意十常八九啊！

沙貝兒發誓，她這輩子再也不下廚房了。

——全書完

番外之〈徒弟都是麻煩精〉

「師父！」

穆康終於完全康復之後，領著岑顛和沙貝兒，外加白狐小祖宗回到槐樹村探望卓不凡。遠遠地，就見師父坐在樹下，手上一本醫書、身邊一杯藥茶，清風徐徐，說不出的優雅，他情不自禁便喊了出去。

這聲音也不比雷響，卻硬是在槐樹村引起震撼。那個超級好心、無比善良又萬分熱情的穆大夫回來啦！誰家有人不舒服，或者公雞不打鳴，甚至屋頂破洞、夫妻吵架……不管什麼問題，總之，找穆大夫，他一定會幫忙，重點是他不收錢。

於是甲告訴乙、丙通知丁，包括親朋好友、認識的、路邊遇見的，全部通知。

同時，咚地，卓不凡從椅子上摔下來，不只茶翻了，連書都弄濕了，千分瀟灑，頓失五成。

有沒有搞錯！這個大徒弟怎麼會回來?!他不是給了他最困難的任務——去尋找可以醫治他病體的靈藥。

按道理說，世上根本不可能有那種東西，所以穆康這輩子是再不可能回到槐樹村，出現在他面前，再三天兩頭求他義診救人，再隔三差五撿一堆人或獸回家免費治療，再管東家長、西家短的閒事……

他應該可以過上一輩子逍遙日子了，為什麼不到幾年他又回來了？

天啊！他並不求富貴榮華，現在卻連清靜也不可得了嗎？

「師父，你沒事吧？」穆康衝過去扶起卓不凡，那份細心溫柔，就像對待一個易碎的瓷娃娃，而不是年約四旬的大男人。

沙貝兒有點奇怪。卓不凡有這麼脆弱嗎？看他的模樣，面白唇紅、溫文爾雅，除了滿頭青絲盡成銀白外，他跟一般人也沒多大區別，怎麼穆康對他如此貼心？

但她也吃醋不起來，好像不這麼珍視卓不凡，就會失去什麼寶貴東西一樣。那個男人身上有種特殊的、教人忍不住想要呵護他的氣質。

卓不凡輪流看過穆康身後一老一少和一隻白狐，稍稍鬆了口氣。「還好，這回你撿的算少了。」

「師父，那姑娘是我未來娘子，至於岑爺爺——」穆康的介紹都還沒講完，被就岑顛打斷了。

「撿個屁啦！卓不凡，你連老子都不記得了?!」其實見到卓不凡後，所有人中最激動的就數岑顛。大夫望聞問切，那是基本功夫，何況他是名醫中的名醫，一見卓不凡，便知他氣虛體弱，隨時處於可能斷氣的狀態。

這真的是卓不凡嗎?岑顛無法相信，當年那意氣風發的年輕人，如今竟比年過九旬的他更加虛弱，難道真是天妒英才?

「我們認識嗎?」卓不凡想了一會兒，本就蒼白的臉，變得更沒血色。「穆康，你個混帳小子!竟連閻王門的鬼醫岑顛都給撿回來了!」天啊!這傢伙很纏人的，為了天下第一的名號，他曾經日夜不停追蹤他數月，那段日子真是只有四個字可以形容——生不如死。

「很好很好，你記起來就好。」岑顛笑著走近他。「咱們的賭約雖然延遲了十幾年，但也該履行了吧?」

又來了!卓不凡只覺自己好像又回到那段被糾纏得片刻不得安寧的日子。

「岑前輩，我認輸，『醫聖』名號拱手相讓，你我就此恩怨兩清，你覺得如何？」

「老子覺得，我們的賭約不只要繼續，而且目標就是你。咱們就賭誰能治好你，誰便是天下第一。」岑顛手一翻，那只剩拇指大小的百草蔘出現在掌中。「嘿，想不到吧！老子找到了這玩意兒，只要有它，半隻腳踏進閻王殿，老子都能把人拉回來。」

「你——」卓不凡窒住，心裡其實有點感動，岑顛雖好名如初，但這回似乎真是好意，連那麼貴重的藥都拿出來要治他，問題是……

他對岑顛勾勾手。「前輩，我帶你去看一樣東西。」

沒多久，屋內就傳來岑顛驚聲厲吼。

「萬年石鐘乳！」若是完整的百草蔘，未必會比萬年石鐘乳差，但只剩一點點的百草蔘，相比那靈藥，差距就不只十萬八千里了。

若連萬年石鐘乳都斷不了卓不凡的病根，那麼……這個驚才絕豔的年輕人，已經算是在生死簿上著下記號，隨時等著牛頭馬面來勾魂了。

這種事怎麼可能發生？如此努力又堅毅的醫術天才，卻隨時走在死亡邊緣，反而他九十好幾了，因服用百草蔘，就算再活十年也不成問題，但以卓不凡的天分，他還能進步，自己呢？這十幾年，他每天栽藥煉藥，他很清楚若無奇遇，他的成就已到頂點。

他不可能再進步了，而這個有大好前程的年輕人卻即將殞落，這世上還有公理嗎？

岑顛氣得仰頭怒吼。「見鬼的死老天！老子就不信，天下事都要被祢們玩著轉，老子偏要逆天！卓不凡，你敢不敢再跟我比試一場，就拿你自己的身體來實驗，看憑你我兩代神醫的力量，能否扭轉情勢？」

卓不凡淡淡地笑了。他知道岑顛做的一切都是為了他，想他一生雖六親斷絕，但朋友知己無數，如今連最強大的對手也有了，人生至此，還有何憾？

「好！」他點頭，也想知道自己和岑顛兩代神醫究竟能不能創造奇蹟？

這時，外頭的穆康和沙貝兒，聽著屋裡傳來又叫又吼的聲音，不由得心驚。

「貝兒，妳說岑爺爺會不會氣壞師父，我師父身體很差，禁不起太大情緒的。」

「應該不會吧！」可岑顛脾氣一向古怪，沙貝兒也沒信心。

「穆大夫。」這時，終於有跑得快的村人帶著自家黃狗上門求助了。「我家阿黃前些日子為了追捕野豬，不小心折了一隻腳，你能不能幫牠看看？」

「沒問題。」穆康坐下來，開始他的「義診」日子。

然後，沙貝兒見識了她在雪堡裡常常看見、如今又重溫舊夢的畫面。一個又一個，或老或少、或男或女、或牲畜或飛禽……反正任何有生命的東西出現問題，來找他幫忙，他一定義不容辭。

而且穆康也很厲害，不管什麼疑難雜症都難不了他。

沙貝兒崇拜地看著他。不愧是她心愛的相公，他果然是最最最最……最了不起的大夫。

求救的人越來越多，不久，便將醫館擠得滿滿當當，連大門都堵住了。屋裡的卓不凡和岑顛想出來，卻發現門打不開，翻出窗戶一看，卓不凡險些暈過去。

「我就知道徒弟都是麻煩精！趕走一個，又來一個，到底要怎麼樣才能把他們全部趕光？」他好後悔當年為了籌措買藥錢，隨便收下一堆弟子，現在可好，報應臨頭了，這些弟子一個比一個麻煩，又會闖禍，他真是悔不當初啊！

「你這徒弟很熱心啊！他在雪堡時名聲可好了，他——算了！」想到穆康拐走沙貝兒，岑顛又覺得他有點討厭了。

「熱心？」卓不凡冷笑。「等明兒個，你發現醫館被無數人裡三層、外三層包圍起來，全都是要找他幫忙的，你就知道他有多熱心了。」所以，卓不凡又從窗戶翻進屋裡，簡單收拾一下包袱，準備下地底洞避幾天風頭。

岑顛不知道他在搞什麼，問：「你不會想溜吧？」

「我去躲幾天，很快就回來了。」他主動把手伸到岑顛面前。「不信你可以診我的脈，我要超過七日不服石鐘乳，必死無疑，所以我不會消失的，你放心好了。倒是你，跟不跟我一起跑？」

「不就多幾個病人，有啥值得大驚小怪？」

「你不懂。」卓不凡搖頭。「但我想，頂多三天，你就會懂了。」

過兩天，岑顛就明白卓不凡的意思。穆康不僅會吸引很多詭異的患者上門，還會主動出手，幫助任何需要幫助的人事物，並且將他們弄回家裡。比如他半個時辰前撿到一隻受傷、又即將臨盆的野豬，現在正忙著幫豬接生。

沙貝兒也在那裡團團轉著添亂，更過分的是——

「岑爺爺，麻煩你準備一些乾草和乾淨的碎布，我要給小豬搭個小窩……」

那兩口子居然連他也想拖下水！岑顛收拾包袱，尋著卓不凡給他留下的線索，跟著跑了。

他現在終於明白，卓不凡說徒弟都是麻煩精是什麼意思，他發誓，一輩子都不要收徒弟！

後記

董妮

對手跟敵人是不一樣的，對手就像陸小鳳的靈犀一指對上西門吹雪的神劍，他們的功夫是互相克制的，但他們並不是敵人，相反地，偶爾還會互相幫助。

但西門吹雪和葉孤城應該就算敵人了，因為立場不同，他們曾經必須生死相見。

不知道陸小鳳、西門吹雪和葉孤城也無妨，他們與本文並沒有太大關係。

我想說的是，岑顛和卓不凡並非敵人，他們從頭到尾只是一對年齡差距頗大的對手，可以為敵，但最後，他們成為更像朋友的對手。

這是個比較歡樂的故事，跟之前的《花花太歲爺》一樣，我想念卓不凡，於是有了這個構想。

但這靈感最早是出現在《唬到俏娘子》時，卓不凡的正式弟子中，「一斛珠」穆康是老大，老二是「十兩金」袁清嫵，老三是「銀元寶」焦俏，「三塊玉」于百憂是老么。

以穆康的個性來說，我相信他若沒有意外被卓不凡收做弟子，一定會是最落魄的強盜，搶劫搶到把銀子送光光，然後自己餓死。

他的善良和光輝讓妮子不忍，所以送給他一個不管他做什麼，沙貝兒都會拍手叫好，把他當作天神一樣崇拜的妻子。

沙貝兒是個任性的姑娘，刁鑽驕縱、為所欲為，但在愛情面前，她稚嫩得像個三歲孩童。

她邁著搖晃的步子，耍著鬼主意，拚命追求穆康的戲碼是我最喜歡的，尤其她花癡地調戲穆康的情節更是我的最愛。

至於她跟趙天源的婚約，我從來就不喜歡盲婚啞嫁，所以在我的故事裡，盲婚啞嫁能成功的機率屈指可數。

趙天源也是個可憐人，父母身亡，自己又驚懼過度，變成癡呆，孑然一身。他把沙貝兒當成了他的所有，是友情、是愛情、也是親情，他一輩子所有的情都用在她身上了。

但是命裡有時終須有，命裡無時莫強求。

有時候，不是你的，再愛也是沒用。尤其當他漸漸恢復神智，成為一個正常人後，他看沙貝兒的一些作為就越來越覺得不對了。

他雖然還是愛她，但關係已經出現裂痕，就算最後成了親，一年、兩年、三年……愛情耗盡後，能維持這樣的婚姻幾年？

所以他們的婚約解除了，一時間很痛，但長痛不如短痛，不是嗎？

最後，祝大家看書愉快。

狗屋出版社 台北市104龍江路71巷15號 網址：love.doghouse.com.tw
電話：(02)2776-5889 傳真：(02)2771-2568 總經銷◎知遠文化 電話：(02)2664-8800

感謝讀者太捧場，
聽聽大家怎麼說——

好得沒話說，其實不管是不是新人都沒差，加油！

書的質感非常好，
閱讀起來很輕鬆，
出書快一點！

跟其他作者寫的比較不同，
有新鮮感，繼續加油！

非常有創意，傳統的
故事用不同的看法、
寫法，感覺很特別。

看完後好希望很快又有得看，GoGo！

相信狗屋品質
認定狗屋嚴選

采花系列 998《情非得已嫁給你》

顧以薰簡直要瘋了！現在是怎樣？莫非天要亡她不成？
她不過是頂替臨時有事的妹妹，偷閒飛去香港逛逛罷了，
老天爺就不能睜隻眼閉隻眼，有必要這樣玩她嗎？
先是筆電被偷，害她損失慘重，差點沒氣得吐血，
沒想到緊接著連存有她心血結晶的隨身碟也搞丟了！
幸好她及時想起，可能是跟那個殷聿修起衝突時弄掉的，
於是，她二話不說地奔去堵那個總經理，希望他有撿到，
在她一把鼻涕、一把眼淚後，他終於大發慈悲地還她，
還以為總算要開始走好運了，怎知其實衰神已找上門，
她正要離開他時，幾名看來不好惹的男子竟持槍抵著他！
結果她這個倒楣的目擊者也一併被對方敲昏，打包帶走，
當她再度醒來時，人居然已經在船上，且隨時會被滅口！
為了活命，她和他乘坐小艇逃跑，兩人意外來到無人島，
媽呀，孤男寡女待在這座荒島上，誰曉得會不會出事啊？

狗屋出版社
江路71巷15號
網址：love.doghouse.com.tw
電話：(02)2776-5889
總經銷◎知遠文化 電話：(02)2664-8800

狗屋嚴選

都會愛情最佳代言

一男一女 一個夜晚

可以釋放多少寂寞

渴望擦出多少火花

而真愛 有可能在一夜之間發生嗎……

花蝶系列 1386

《情夫要正名》

在哪裡發生的，就留在哪裡——這不是一夜激情的基本原則嗎？
為何她這麼走運，謝謝再連絡之後又在工作場合上再相見?!
愛情小說裡的俗爛老梗竟然活生生上演，
已經殺她個措手不及、急急接招，
這男人還不堅守「原則」，非要糾纏不休，
想把一夜無限期延長，把激情蔓延成真情……
雷伊凡一向不安於室，樂於冒險，隨興但不隨便，
遇上羅瀾的那晚是個美好的意外，意外得令他留戀又懷念；
重逢後的她仍然嬌麗，但一開口卻讓他真想狠狠掐死她！
沒見過這麼瀟灑乾脆的女人，她讓他痛並快樂著，
因得不到她的人而痛，因她帶來的快樂而捨不得放手；
這激烈的情感教人錯亂，恐怕只有她的愛才能拯救他脫離苦海……

2010花蝶：夏天結束之前，要好好愛一次……

夏灩最in作品集

《橘子說系列》 829 現在相愛剛剛好．835 單身時尚守則．843 不婚流行主義
《花 蝶 系 列》 1313 愛你不服輸．1340 野獸看招！．1386 情夫要正名
《采 花 系 列》 945 不准太寵我

狗屋出版社 台北市104龍江路71巷15號 網址：love.doghouse.com.tw
電話：(02)2776-5889 傳真：(02)2771-2568 總經銷◎知遠文化 電話：(02)2664-8800

這年頭，不是只有紅色炸彈會讓人心驚驚，

莫名冒出來的小BABY更是容易嚇壞人啊！

10月橘子說 全新改版＋
淑芬親繪 精美封面之首批主題書

【寶貝炸彈】

橘子說 862《先生你好踐》莫顏◎著

橘子說 863《一夜拐到夫》宋雨桐◎著

橘子說 864《美男逼我嫁》路可可◎著

橘子說 865《願者請上鈎》樓雨晴◎著

是「炸彈」還是「詐彈」？10月看了就知道！

隨書贈送好好用的淑芬親繪封面圖萬用卡貼，一本四款，錯過肯定扼腕啊！